La France
des régions

CATALOGAGE ELECTRE-BIBLIOGRAPHIE

Bourgeois René, Eurin Simone
La France des régions. – Nouv. éd.. – Saint-Martin-d'Hères (Isère) :
PUG, 2001. – (Français langue étrangère et maternelle)
ISBN 2-7061-0956-4
RAMEAU :   français (langue) : manuels pour allophones
                régions : France
DEWEY :   374.5 : Formation des adultes.
                Méthodes d'expression écrite et orale
Public concerné : Perfectionnement

Tous droits pour tous pays réservés.

© Presses Universitaires de Grenoble, 2001
BP 47 – 38040 Grenoble Cedex 9
Tél. : 04 76 82 56 51 – Fax : 04 76 82 78 35
e-mail : pug@pug.fr
ISBN 2 7061 0956-4

René Bourgeois
Simone Eurin

La France des régions

Presses Universitaires de Grenoble

Avertissement

Les différentes parties de ce livre forment un tout et se complètent : si l'essentiel des informations se trouve dans le texte, les exercices, leur corrigé, le glossaire et les légendes des illustrations sont utilisés pour donner des précisions et pour stimuler la curiosité du lecteur. Ainsi chacun est-il invité à procéder à quelques recherches simples dans un dictionnaire, un guide touristique, une revue, une publicité. Certaines réponses aux exercices restent «ouvertes» et nous incitons celui qui découvre les aspects variés – et parfois déconcertants – de la France à faire lui-même un parallèle avec son propre pays.

Notre méthode, qui résulte d'une longue pratique de la classe de civilisation, n'a rien de rigide, et nous espérons qu'elle sera, autant qu'un facteur de connaissances, une source de plaisir.

René Bourgeois, professeur émérite à l'université Stendhal à Grenoble, a dirigé le comité de Patronage des étudiants étrangers et enseigné la littérature, la civilisation et la langue.

Simone Eurin est professeur au Centre universitaire d'études françaises où elle enseigne la langue et la civilisation.

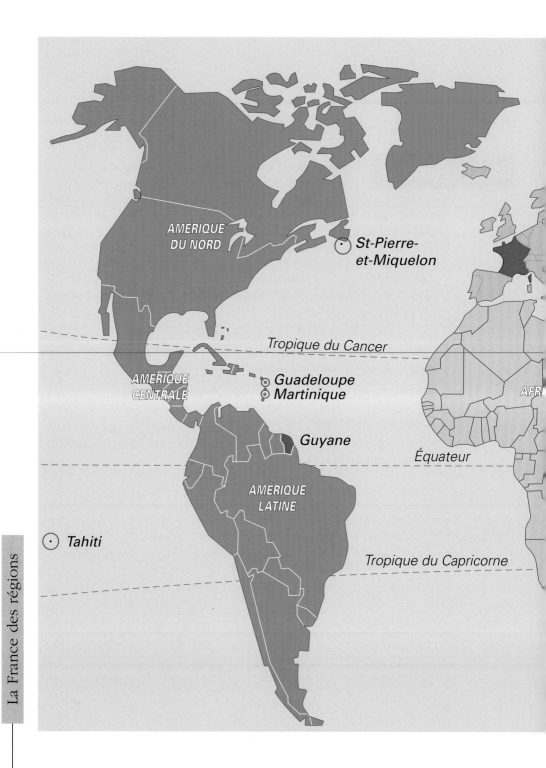

AMÉRIQUE
DU NORD

⊙ St-Pierre-
et-Miquelon

Tropique du Cancer

AMÉRIQUE
CENTRALE

⊚ Guadeloupe
⊚ Martinique

Guyane

Équateur

AMÉRIQUE
LATINE

⊙ Tahiti

Tropique du Capricorne

AFRI

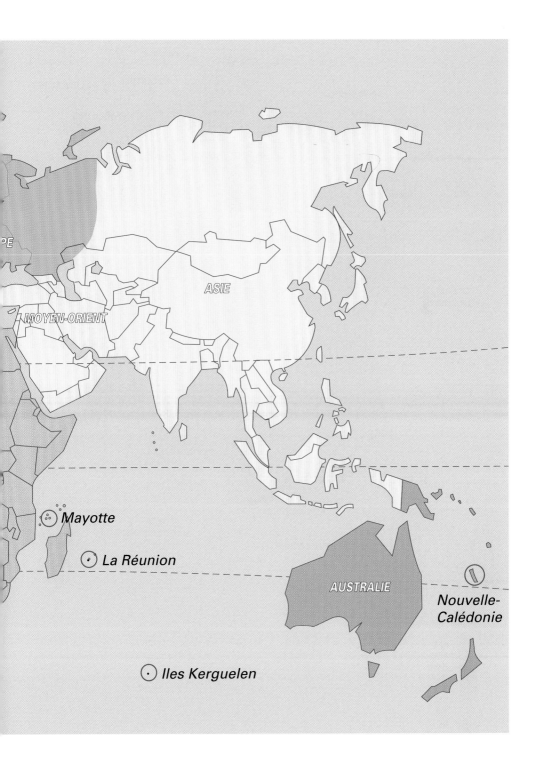

PE

MOYEN-ORIENT

ASIE

Mayotte

La Réunion

AUSTRALIE

Nouvelle-
Calédonie

Iles Kerguelen

ROYAUME-UNI

Londres

Mer du Nord

PAYS-BAS

Düsseldorf

Cologne

Bruxelles

BELGIQUE

ALLEMAGNE

LA MANCHE

NORD-PAS-DE-CALAIS

Lille

LUXEMBOURG

Amiens

Luxembourg

HAUTE-NORMANDIE

Rouen

PICARDIE

Châlons-en-Champagne

Metz

Caen

ALSACE

BASSE-NORMANDIE

Paris

ILE-DE-FRANCE

LORRAINE

Strasbourg

BRETAGNE

Rennes

CHAMPAGNE-ARDENNE

PAYS DE LA LOIRE

Orléans

Nantes

CENTRE

BOURGOGNE

Besançon

Berne

Dijon

FRANCHE-COMTÉ

Poitiers

OCÉAN ATLANTIQUE

SUISSE

Lac Léman Genève

POITOU-CHARENTES

Limoges

Clermont-Ferrand

Lyon

LIMOUSIN

AUVERGNE

RHÔNE-ALPES

Bordeaux

Turin

Golfe de Gascogne

AQUITAINE

ITALIE

MIDI-PYRÉNÉES

Toulouse

LANGUEDOC-ROUSSILLON

PROVENCE-ALPES-CÔTE D'AZUR

Monaco

Montpellier

Marseille

ANDORRE

Golfe du Lion

ESPAGNE

MER MÉDITERRANÉE

Barcelone

CORSE

Madrid

Ajaccio

Altitude (en mètre)

- 3000
- 2500
- 2000
- 1500
- 1000
- 500
- 200
- 100

0   50   100 km

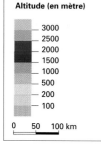

La France des régions

Introduction

La France est souvent appelée, par les journalistes et les hommes politiques, l'Hexagone, car sa forme peut en effet ressembler à une figure géométrique à six côtés. Mais à la France «hexagonale», ou encore continentale, il faut ajouter la Corse, une île située dans la Méditerranée à 240 km au sud de Nice, ce qui permet de parler de la France métropolitaine*. Le territoire total du pays comprend en outre les départements et territoires d'outre-mer, (DOM-TOM), qui se situent sur d'autres continents (Amérique, Afrique, Océanie).

La plus grande distance du nord au sud de «l'hexagone» est de 973 km, et d'est en ouest de 945 km. La superficie de la France «métropolitaine» (toutes les îles côtières comprises et la Corse) est de 551 602 km², ce qui représente 5,5 % du territoire du continent européen, au second rang derrière la Russie.

La France est délimitée par 2 693 km de côtes (le double si l'on compte toutes les découpures du rivage) Mer du Nord, Manche, Atlantique, Méditerranée, – et 2 970 km de frontières terrestres, face à la Belgique, au Luxembourg, à l'Allemagne, à la Suisse et à l'Italie, à l'Espagne, en grande partie formées par des «frontières naturelles», les Ardennes, le Rhin, le Jura, les Alpes et les Pyrénées.

Le caractère dominant du pays est sa diversité, puisqu'il appartient à la fois à l'Europe du Nord et à l'Europe du Sud :
– diversité du relief et des paysages : massifs montagneux primaires (hercyniens) : Massif central, Bretagne, Ardennes, Vosges, Maures et Esterel ; plateaux et plaines de l'ère secondaire (Bassin Parisien) ; massifs tertiaires (Alpes, Jura, Pyrénées), plaines fluviales (Seine, Loire, Garonne, Rhône, Rhin).
– diversité des ressources : minières (Nord, Est, bordure du Massif central), agricoles (grandes plaines à blé de la Beauce, vallées et moyenne montagne) maritimes (pêche).
– diversité des climats : maritime à l'ouest, semi-continental, alpin, méditerranéen, avec de très grands écarts de températures (la plus haute à Toulouse, en août 1923, 44°, la plus basse – 41° dans le Doubs, en 1985).
– diversité des apports ethniques et culturels – celtes, romains, nordiques, germaniques, ibériques –, dus aux migrations, aux invasions, et aux immigrations.

Aussi l'unité française s'est faite dans une longue durée : la langue elle-même ne s'est définitivement imposée qu'au début du XXᵉ siècle, alors qu'on parlait encore la langue locale dans certaines provinces (Bretagne, Pays Basque).

C'est aussi à cette diversité que correspond la création des régions. Avant la révolution de 1789, la France était divisée en provinces (Bretagne, Dauphiné, Limousin, Languedoc, etc.) dont chacune avait un parlement qui disposait de certains pouvoirs en matière de justice et d'impôts, et un gouverneur qui représentait le roi. En 1789, les provinces furent supprimées, et l'on créa les départements, qui subsistent encore aujourd'hui. En 1972 furent créées vingt-deux régions métropolitaines, regroupant chacune plusieurs départements (de deux à huit) et quatre régions d'outre-mer. Cette création répondait à une volonté de décentralisation des pouvoirs, qui jusqu'alors appartenaient essentiellement à l'Etat. Chaque région est administrée par un conseil régional, qui élit son président et qui agit principalement dans le domaine économique, social, sanitaire, culturel et scientifique.

Cette division en régions ne va pas sans soulever quelques difficultés. En particulier, la taille des régions est très inégale (l'Ile-de-France compte 10 925 000 habitants, Rhône-Alpes 5 635 000, le Limousin 719 000 et la Corse 260 000) et entraîne des inégalités de ressources. D'autre part, on se retrouve mal dans le rôle administratif des différentes «collectivités territoriales», trop nombreuses : commune, groupement de communes, canton, département, région, Etat.

Il reste en France une opposition entre la tradition dite «jacobine», où l'Etat central a le maximum de pouvoir, et les tendances «girondines», qui, depuis la Révolution de 1789 n'ont jamais pu s'affirmer avec force en faveur d'une large autonomie des régions. On évoque parfois la possibilité de créer de plus grandes régions, à l'image des *Länder* allemands, mais il est peu probable que la France soit un jour un état fédéral.

Les régions administratives ayant en général un caractère artificiel nous les avons regroupées ici pour tenir compte des réalités géographiques, en partant du «cœur» de la France (Ile-de-France et Centre) puis en tournant dans le sens des aiguilles d'une montre.

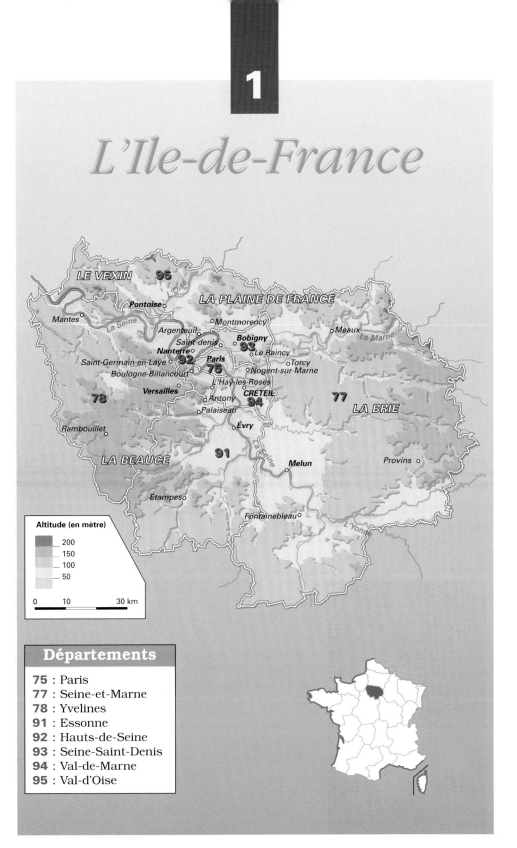

1

L'Ile-de-France

Altitude (en mètre)
- 200
- 150
- 100
- 50

0   10   30 km

LE VEXIN **95**

LA PLAINE DE FRANCE

Mantes

Pontoise

Montmorency

Meaux

La Marne

Argenteuil

Saint-denis **Bobigny** **93**

Nanterre *Le Raincy*

Saint-Germain-en-Laye **92** **Paris** *Torcy*

Boulogne-Billancourt **75** *Nogent-sur-Marne*

L'Haÿ-les-Roses

Versailles **CRÉTEIL** **77** LA BRIE

78 *Antony* **94**

Palaiseau

Rambouillet *Évry*

LA BEAUCE **91** *Melun* *Provins*

Étampes

Fontainebleau *L'Yonne*

La Seine *L'Oise* *La Marne* *La Seine*

Départements

75 : Paris
77 : Seine-et-Marne
78 : Yvelines
91 : Essonne
92 : Hauts-de-Seine
93 : Seine-Saint-Denis
94 : Val-de-Marne
95 : Val-d'Oise

● Identité

La région « Ile-de-France » est constituée par la ville de Paris qui forme le département de la Seine et les sept départements de la « couronne parisienne », c'est-à-dire la proche banlieue ou la grande banlieue.

Trois départements entourent directement Paris : les Hauts-de-Seine à l'ouest, la Seine-Saint-Denis au nord-est, le Val-de-Marne au sud-ouest. Quatre autres sont situés à une plus grande distance : au nord le Val-d'Oise, à l'est, le plus grand, la Seine-et-Marne, au sud l'Essonne et à l'ouest les Yvelines.

L'Ile-de-France compte 10,925 millions d'habitants – soit près d'un cinquième de la population de la France – dont 2,1 millions vivent dans la ville de Paris.

▲ Image

L'image de l'Ile-de-France, et surtout celle de Paris, se confond souvent avec celle du pays tout entier : Paris, c'est la France. Au XVIIIe siècle, Sébastien Mercier écrivait : « Naître à Paris, c'est être deux fois français ». Aussi oppose-t-on souvent Paris à la province – c'est-à-dire tout le reste du pays –, et se faire appeler provincial n'est pas flatteur, l'adjectif étant syno-

▲ *Paris du haut de Notre-Dame.*

nyme de « campagnard ». Il est généralement admis que c'est Paris qui donne le ton pour la mode, la culture, le langage même. Les provinciaux se consolent en pensant que vivre à Paris est une épreuve douloureuse, avec la pollution, les difficultés de circulation, les longs trajets dans le métro, les trains de banlieue, les autobus, pour se rendre quotidiennement à son travail.

Mais quelle que soit l'opinion qu'on ait de Paris, c'est la Ville-lumière, avec ses musées prestigieux, ses distractions, ses monuments, à laquelle aucune autre ville française ne peut se comparer.

◀ *Le Palais de Chaillot, perspective de la Tour Eiffel.*

Histoire

L'histoire de Paris et de sa région remonte, comme c'est souvent le cas en France, à l'époque celtique, où une tribu (les Parisii) fonde Lutèce, dans ce qui est l'île de la Cité. Au milieu du Ier siècle avant J.-C., les Romains, vainqueurs des Gaulois, s'emparent de Lutèce et en font une ville importante. En 451, sainte Geneviève sauve la ville, menacée par Attila. En 508, Clovis, roi des Francs, y installe sa capitale. Après Charlemagne, Paris devient définitivement le siège du gouvernement royal.

La ville est fortifiée, sous Philippe-Auguste, au début du XIIIe siècle. En 1429, Jeanne d'Arc est blessée en assiégeant Paris, occupé par les Anglais. En 1572, le massacre des protestants (à la Saint-Barthélemy) est l'un des grands événements des guerres de religion, et en 1610 Henri IV est assassiné. Entre 1648 et 1662, la « Fronde » met aux prises une partie de la noblesse contre le pouvoir royal. Avec Louis XIV, le centre du pouvoir se déplace à Versailles. En 1789, la Révolution commence

avec la prise de la prison de la Bastille, le 14 juillet. Louis XVI est guillotiné* en 1793. En 1804, Napoléon est sacré à Notre-Dame, et, en 1814, et 1815 les Alliés (Prussiens, Autrichiens, Russes) occupent la capitale. Deux révolutions (1830 et 1848) marquent l'histoire de Paris ; en 1870, c'est le dramatique siège de la ville, suivi de la révolution sociale de la « Commune ». En 1914, Paris, menacé par les Allemands, est sauvé par la bataille de la Marne. En 1944, Paris, occupé depuis 1940, est libéré.

Versailles, la cathédrale Saint-Louis ▶

La ville de Paris

La situation géographique de Paris est idéale, dans la vallée de la Seine, bordée de collines. Le fleuve traverse la ville sur 12 km, d'où la séparation traditionnelle en rive gauche (au sud) et rive droite (au nord), la présence d'îles (Saint-Louis, la Cité), de ponts (35), de canaux (canal Saint-Martin), de larges quais, d'un port de commerce (premier port fluvial de France) et d'un port de plaisance. Dans Paris même, et autour de la ville, on peut encore deviner les collines (Sainte-Geneviève 65 m, Chaillot, Montmartre 129 m), et une place importante a été laissée aux espaces verts, bois de Vincennes et de Boulogne, vastes jardins. Il y a 486 000 arbres dans Paris…

▲ *La Seine.*

La situation et l'histoire expliquent le blason de la ville, une nef* (bateau) avec la devise « Fluctuat nec mergitur » (elle est battue par les flots et ne sombre pas).

Les rues

La ville n'a connu un plan d'urbanisme qu'au XIXᵉ siècle, où le préfet Haussmann a fait démolir les vieux quartiers et permis l'agrandissement de la ville. Aussi la circulation est-elle difficile : 100 millions d'heures de travail sont perdues chaque année dans les embouteillages*, encore aggravés par les manifestations de toute sorte – politiques ou non – qui attirent dans la capitale des foules parfois immenses. Sans doute le métro (abréviation de « Chemin de fer métropolitain ») avec 159 km de lignes, en grande partie souterraines, prolongé par le RER (Réseau express régional) améliore-t-il les conditions de transport ; il n'en reste pas moins qu'aux heures de pointe*, lorsque Parisiens et banlieusards vont à leur travail ou en reviennent, c'est « la galère »*…

On trouve à Paris les rues étroites dans le centre historique (2,50 m pour la rue du Chat-qui-pêche), la plus large autour de l'Arc-de-Triomphe de l'Etoile (avenue Foch, 120 m). La rue la plus courte n'a que 5,75 m, tandis que la rue de Vaugirard, la plus longue, a 4 360 m.

Il y a même une ville sous la ville, les « catacombes », ensemble de salles sou-

▲ *Paris, le fleuve traverse la ville.*

◄ *Perspective du Palais de Chaillot*

Qui ne la connaît ?

La tour Eiffel – du nom de son architecte Gustave Eiffel – a été construite en deux ans et deux mois pour l'Exposition universelle de 1889.
Hauteur : 320 m.
Poids : 10 000 tonnes.
18 038 pièces de fer.
L'escalier a 1 665 marches. Elle a connu 369 suicides dont deux rescapés.
Visiteurs : de 5 à 5,5 millions par an.

terraines et de galeries, anciennes carrières qui servirent de cimetière au XVIIIe siècle.

L'administration de Paris est unique en France. Il y a un maire de Paris, élu par le Conseil de Paris, à la fois conseil municipal et conseil général pour le département de la Seine.

▲ *Autour de l'Etoile.*

Chacun des vingt arrondissements est administré par un conseil et un maire d'arrondissement. L'État est représenté par un préfet de Paris, qui est également préfet de la région Ile-de-France, et un préfet de police, chargé de la sûreté de Paris et des trois départements limitrophes*. La sécurité est un des problèmes majeurs, puisqu'il s'agit de protéger aussi bien la population, qui a la plus forte densité de France (20 421 habitants au km²), et les services de l'État ; Paris est la cible des attentats terroristes, le métro étant une zone particulièrement sensible. On compte à Paris environ 300 000 crimes et délits par an, dont 150 000 vols.

Vie économique

Le nombre de personnes employées dans les différentes activités peut seul en donner une idée : agriculture : 69 – industrie : 213 000 – travaux publics : 55 000 – commerce : 213 000 – transports : 45 000 – services : 855 000.
Les personnels de l'État sont, à eux seuls, 373 000. L'industrie, en voie de déclin (fermeture des usines Renault) concerne la métallurgie, la chimie, les télécommunications, la construction automobile et aéronautique. Il faut y ajouter le cinéma et surtout le tourisme, qui voit affluer à Paris 21 millions de visiteurs par an, attirés par les monuments (la tour Eiffel), et les musées (Louvre, 4,7 millions, Orsay, 2,2 millions).

▲ *La café, une institution vieille de trois siècles.*

cipales sociétés de radio et de télévision nationales et de la plupart des grands journaux français. On y compte 124 lieux de spectacles (dont trois opéras et huit théâtres nationaux) et 400 salles de cinéma.

Paris, capitale de la France

C'est à Paris que sont concentrés tous les grands corps de l'État. Le président de la République habite au palais de l'Elysée ; le premier Ministre à l'Hôtel Matignon. Le Quai d'Orsay est le siège du ministère des Affaires Etrangères ; le palais Bourbon celui de l'Assemblée Nationale (députés), le palais du Luxembourg celui du Sénat, le palais-Royal celui du Conseil d'État. On a cherché à délocaliser* certains services nationaux, mais sans grand succès. C'est

Quelques chiffres pour l'activité commerciale et les services, qui ne rendent pas compte de la diversité d'aspect des rues de Paris, dont beaucoup se signalent par un caractère propre : commerce des tissus dans le quartier du Sentier, boutiques de mode rue du Faubourg-Saint-Honoré, librairies dans le « Quartier latin » : 15 000 restaurants et cafés – 1 500 guichets de banque – 1 300 boulangeries-pâtisseries – 166 gymnases – 108 hôpitaux ou cliniques – 34 piscines…

Vie culturelle

Paris est la plus grande ville universitaire de France, avec huit universités dans la ville elle-même et cinq dans les trois départements voisins, des grandes écoles (Normale Supérieure, préparant à l'enseignement, École nationale d'administration – ENA – d'où sortent les « énarques » qui forment la majeure partie du personnel de la haute administration et de la politique), le Collège de France, l'Institut de France, qui regroupe cinq académies* (Académie française, la plus ancienne – 1637 –, académies des Sciences, des Inscriptions et Belles-Lettres, des Beaux-arts, des Sciences morales et politiques).

Paris est le siège des prin-

▲ *Devant le Conseil d'État, les colonnes de Buren.*

◄ *La cathédrale
d'Évry (Essonne)*

toujours à Paris qu'aboutissent les grandes lignes de chemin de fer et de transport aérien (il faut deux heures pour se rendre en TGV* de Lyon à Paris, mais sept heures pour aller de Lyon à Bordeaux, à la même distance). Enfin Paris concentre 96 % des sièges des grandes sociétés de banque, 70 % des sièges des sociétés d'assurance et 39 % de l'ensemble des professions libérales.

L'Ile-de-France

Les trois départements les plus proches de Paris sont fortement urbanisés et totalisent à eux trois quatre millions d'habitants, avec des villes importantes qui sont souvent des centres industriels avec la construction automobile, aéronautique, la chimie, l'agro-alimentaire, l'informatique, l'électronique, le matériel ménager, les

Essonne, ►
*halle de
Mereville.*

imprimeries. C'est là aussi que se situent les deux grands aéroports, Orly et Roissy.

Les quatre autres départements de la région offrent un visage différent : la campagne réapparaît, les maisons s'espacent et la nature reprend ses droits avec de vastes forêts (Fontainebleau, Saint-Germain, Rambouillet, Marly) qui constituent le poumon vert* de Paris. Les bords de la Seine et de la Marne retrouvent un caractère champêtre qui a souvent attiré les peintres impressionnistes.

◀ *La gare de Cergy-Pontoise (Val d'Oise)*

Art de vivre

La vie, à Paris et dans l'Ile-de-France, est naturellement très différente de celle qu'on connaît en province. Elle est généralement rythmée par les déplacements quotidiens pour le travail ; un habitant de Versailles qui est employé à Paris (25 km) devra se lever le matin à 6 heures, et ne sera guère rentré chez lui avant 20 h 30. Mais le reste de la semaine – samedi et dimanche –, il se comportera comme un provincial. Même Paris est formé de quartiers où l'on se connaît, où l'on se rencontre au marché, où les commerçants vous appellent par votre nom. On comprendra cependant que les Parisiens et Franciliens* quittent massivement leur région au moment des vacances, livrant leur ville et leurs monuments aux touristes étrangers.

Qu'est-ce qu'on mange ?

S'il n'y a pas de gastronomie typiquement parisienne – à part la célèbre baguette de pain* –, c'est évidemment à Paris qu'on trouve la plus grande concentration de restaurants de haut de gamme – la plupart des gens se contentant de restauration rapide – où se retrouvent toutes les cuisines du monde.

La région parisienne s'approvisionne au marché international de Rungis, qui a remplacé depuis 1969 les anciennes halles centrales décrites par Zola dans *Le Ventre de Paris*. On y négocie chaque année 615 000 tonnes de fruits, 500 000 tonnes de légumes, 362 000 tonnes de viande.

Art – Monuments

Il est normal qu'on trouve à Paris – capitale du pays depuis plus de mille ans – des témoignages de toutes les époques de l'histoire, les rois, puis les présidents de la République, de saint Louis (la Sainte-Chapelle) à Georges Pompidou (Centre Beaubourg) et à François Mitterrand (l'Arche de la Défense, la Bibliothèque de France, l'aménagement du Louvre avec sa pyramide) ayant tenu à attacher leur nom à un monument.

De l'époque gallo-romaine subsistent encore les thermes de Lutèce (au Musée de Cluny).

Au Moyen Âge furent construits murailles et châteaux ; dans le sous-sol du Louvre, on voit les restes imposants du mur de Philippe-Auguste. Le donjon de Vincennes date du XIVe siècle, comme la Conciergerie, qui servit de prison à la

▲ *Beaubourg, le Centre Pompidou.*

reine Marie-Antoinette en 1793. Les hôtels de Sens et de Cluny sont les deux seules résidences privées du Moyen Age subsistant à Paris.

Aux environs de Paris, le château de Pierrefonds (XIIe siècle) a été en partie reconstruit au XIXe siècle par l'architecte Viollet-le-Duc (auquel on doit aussi la restauration de la Cité de Carcassonne).

Ce sont les églises qui sont les plus beaux témoins de l'art architectural du Moyen Âge, avec la toute première église gothique, Saint-Denis, commencée en 1136, où sont les tombeaux des rois et des reines ; la cathédrale Notre-Dame de Paris, dont la

◄ *Oise, le château de Pierrefonds.*

construction demanda plus de deux cents ans, et qui sera célébrée par Victor Hugo... ; la Sainte-Chapelle (1248) avec ses magnifiques vitraux*, et plusieurs églises qui forment la transition entre le Moyen Âge et la Renaissance (Saint-Germain l'Auxerrois, Saint-Eustache).

On doit à l'art de la Renaissance un grand nombre de palais ou d'hôtels particuliers : hôtel Carnavalet (musée historique de la ville de Paris), hôtel de Lamoignon, châteaux de Saint-Germain-en-Laye, de Fontainebleau.

Les plus riches monuments de Paris relèvent de l'art classique, du début du XVIIᵉ siècle au milieu du XVIIIᵉ siècle : l'ensemble de la place des Vosges, du Palais-Royal, de la place Vendôme, la colonnade du Louvre, le palais du Luxembourg, l'hôtel des Invalides, l'Institut, l'École militaire, l'église Saint-Roch. Hors de Paris, les deux plus beaux exemples d'architecture classique sont les châteaux de Vaux-le-

La place des ► *Vosges*

Vicomte, avec ses magnifiques jardins, et de Versailles.

La fin du XVIIIe siècle et l'époque du premier Empire (Napoléon Ier) ont laissé moins de traces ; dans le goût néoclassique ont été élevés le temple (puis église) de la Madeleine, les arcs de triomphe du Carrousel et de l'Etoile, dont les travaux ne furent terminés qu'en 1836 ; dans la banlieue nord, le petit château de la Malmaison garde le souvenir de Napoléon et de l'impératrice Joséphine.

Peu après le milieu du XIXe siècle, Paris se transforme sous l'impulsion du préfet Haussmann qui fait

◀ *Château de Versailles, la chambre du Roi.*

▲ *Versailles, perspectives des jardins.*

Si Versailles m'était conté

Le Château de Versailles. En 1661, le jeune roi Louis XIV est invité à Vaux-le-Vicomte, qui appartient au surintendant (ministre des Finances) Fouquet. La fête est magnifique… le roi mange dans de la vaisselle d'or. Louis XIV se fâche, fait arrêter Fouquet, et décide de faire construire un château encore plus beau : Versailles. La construction du château principal a demandé vingt ans. Le Grand Trianon date de 1688, le Petit Trianon de 1768, l'Opéra de 1770. La façade sur le parc a 670 m de long. Il y avait à l'origine 1 300 pièces. Le parc se développe sur une centaine d'hectares, autour de plusieurs bassins. Trois rois ont vécu à Versailles : Louis XIV, Louis XV et Louis XVI, qui en fut chassé par la Révolution en 1789. La Galerie des Glaces, au centre du château vit en 1871 la proclamation de l'Empire allemand. Le traité de Versailles en 1919 mit fin à la 1re guerre mondiale. Le château de Versailles fut imité dans toute l'Europe, à Vienne, Saint-Petersbourg, Potsdam, jusqu'à la fin du XIXe siècle avec le château de Louis II de Bavière au Chiemsee.

▲ *Notre-Dame.*

démolir les quartiers insalubres et étend la ville sur la rive droite de la Seine, ouvrant de larges avenues. C'est alors qu'on construit l'Opéra (1860), la Bourse, de nouveaux ponts, les grands magasins (Bon Marché, Bazar de l'hôtel de ville). Grâce aux nouvelles techniques (construction métalliques, béton) ce sont, dans les dernières années du siècle, la tour Eiffel, le Grand et le Petit Palais, les Galeries Lafayette. Entre les deux guerres, le palais de Chaillot abrite trois grands musées. Après 1945, de grands programmes voient le jour : tour Montparnasse (1972), Centre national Georges Pompidou (1977), quartier et arche de la Défense (1990), Bibliothèque de France (1994), Grand Louvre...

Paris est naturellement la ville la plus riche de France – sinon d'Europe – en musées : en dehors des trois grands musées (Louvre, Orsay, Art moderne) de nombreux musées sont spécialisés : Marine, Armée, Arts décoratifs, Rodin, Picasso... Si Paris expose les tableaux des plus grands peintres, ceux-ci ont aussi célébré Paris, en particulier les impressionnistes, qui ont représenté la vie quotidienne, les cafés, les gares, les boulevards et les rues, les bords de la Seine (Monet, Renoir, Toulouse-Lautrec) et les peintres modernes, que la tour Eiffel a inspirés (Delaunay...).

Enfin, une partie de la ville est inscrite au Patrimoine mondial : les quais de la Seine, les grandes perspectives et leurs monuments (l'île de la Cité, l'île Saint-Louis, la Concorde, la Madeleine, la Chambre des députés, le pont Alexandre III, le Grand et le Petit Palais, les Invalides, l'École militaire, le Champ-de-Mars et le Palais de Chaillot). Figurent aussi dans cette liste des sites célèbres : le palais et le parc de Fontainebleau et, naturellement, le château de Versailles.

▲ *Sur la butte Montmartre, le Sacré-Cœur.*

▲ *Le Grand Palais.*

Dans un tout autre ordre d'idées, on n'oubliera pas que Paris a organisé, en 1998, la Coupe du Monde de football dans le Stade de France, créé pour la circonstance, et qu'à Paris également a lieu chaque année le tournoi de tennis de Roland-Garros. Enfin Disneyland, à Marne-la-Vallée, attire à lui seul près de douze millions de visiteurs.

◀ *Le pont Alexandre III et les Invalides.*

Parlé, écrit...

Les Parisiens ont un accent particulier, grasseyant* ; on les appelait autrefois « Parigots* à gros bec ». Ce n'est pas, en tout cas, l'accent du français correct... Mais cela n'a pas empêché Paris d'être la ville sur laquelle on a le plus écrit, dans la chanson comme dans la littérature. Une bonne part des romans français a pour décor Paris, plus particulièrement chez Balzac, Hugo, Flaubert, Zola, qui trace une fresque épique de la ville sous le second Empire. C'est à Paris que sont nés les grands mouvements littéraires, la Pléiade, avec Ronsard et Du Bellay – des provinciaux ! – venant après les purs Parisiens que furent Villon et Marot – le classicisme avec Corneille, Racine, Molière – les Lumières et l'Encyclopédie (Diderot, Voltaire), le romantisme avec Musset ou Nerval, Hugo ou Dumas, le réalisme, le symbolisme, le surréalisme... Apollinaire, Aragon, Prévert se sont faits les « poètes de Paris », sans parler des films qui ont rendu Paris célèbre dans le monde entier, et des innombrables chansons sur la capitale.

G. de Nerval évoque le Paris romantique :

> *Quand le soleil du soir parcourt les Tuileries*
> *Et verse l'incendie aux vitres du château*
> *Je suis la Grande allée et ses deux pièces d'eau*
> *Tout plongé dans mes rêveries*
> *Et de là, mes amis, c'est un coup d'œil fort beau*
> *De voir, lorsqu'alentour la nuit répand son voile*
> *Le coucher du soleil, riche et mouvant tableau*
> *Encadré dans l'Arc de l'Étoile*

▲ *L'arc de triomphe de l'Étoile.*

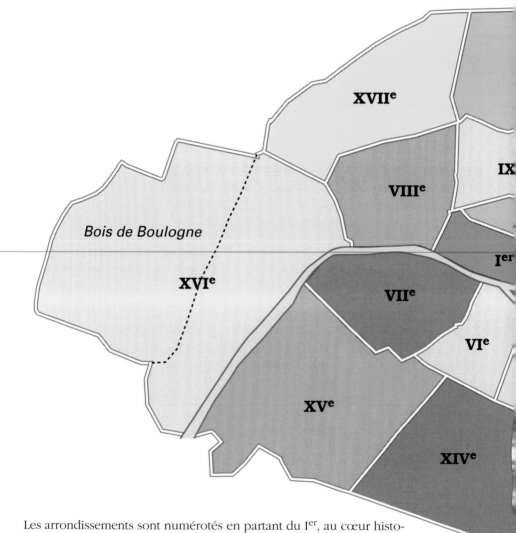

Bois de Boulogne

XVIIe

VIIIe

IX

XVIe

VIIe

Ier

VIe

XVe

XIVe

Les arrondissements sont numérotés en partant du Ier, au cœur historique de la ville (où se trouve le Louvre) et en tournant en spirale comme une coquille d'escargot…

Ainsi, l'île de la Cité est partagée entre le Ier et le IVe arrondissement, où se trouvent l'Hôtel de Ville et la cathédrale Notre-Dame.

Le XVIe à l'ouest, se prolonge par le Bois de Boulogne, le XIIe, au sud-est, par le Bois de Vincennes, au-delà du boulevard périphérique qui ceinture Paris.

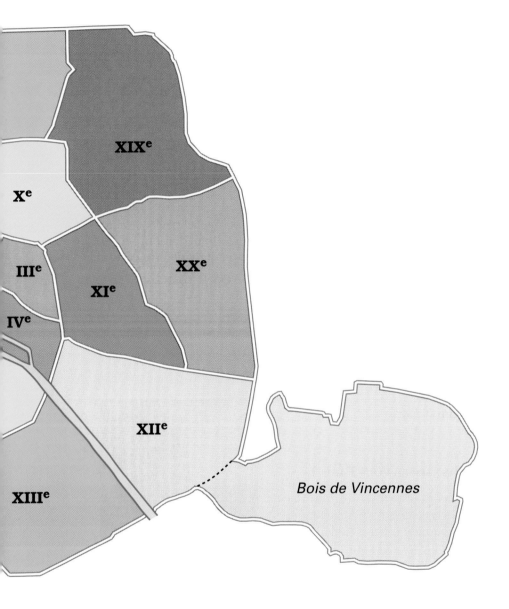

XIXe

X^e

IIIe

IVe

XIe

XXe

XIIe

XIIIe

Bois de Vincennes

1 RIVE DROITE, RIVE GAUCHE

Les deux rives de la Seine, qui coule d'est en ouest, ont toujours eu des mentalités différentes. La rive gauche intellectuelle et passionnée par toutes les idées nouvelles, la rive droite plus classique, plus traditionnelle et plus commerçante. Sur la rive droite, les théâtres de boulevard, sur la rive gauche les clubs de jazz, sur la rive droite les grands magasins, sur la rive gauche le quartier latin et la Sorbonne.... mais cette division n'est plus aussi nette qu'autrefois. Inscrivez derrière chaque monument **d** (rive droite), ou **g** (rive gauche) :

1. Le Louvre ......

2. Beaubourg ......

3. La Défense ......

4. Montmartre et le Sacré-cœur ......

5. La tour Eiffel ......

6. La gare de Lyon ......

7. Les Champs Elysées ......

8. Le jardin du Luxembourg ......

9. Notre-Dame ......

10. Les Invalides ......

2 CONNAISSEZ-VOUS PARIS ?

1. Le Pont-Neuf à Paris relie les deux berges de la Seine à l'extrémité ouest de la Cité. Pourquoi « aller comme le Pont-Neuf » signifie-t-il « se porter bien » ?

2. Comment s'appelle le théâtre classique que l'on surnomme la maison de Molière ?

3. De quel monument un peintre contemporain mondialement connu a-t-il peint le plafond ?

4. Comment s'appellent les six principales gares parisiennes ?

5. Quel roman français peut-on associer à la cathédrale Notre-Dame de Paris ? Citez deux personnages célèbres de ce roman et deux autres œuvres de son auteur.

6. À quel architecte doit-on la pyramide du Louvre ?

7. Comment s'appelait la place la Concorde pendant la Révolution française ?

8. Quelle est la rue la plus longue de Paris ?

9. À quelle place célèbre surmontée d'un lion doit-on se rendre pour descendre visiter les catacombes ?

10. Quels sont les deux plus grands « espaces verts » de Paris ?

▲ *Le parvis de Notre-Dame.*

*Notre-Dame,
le jugement
dernier*

Exercices

3

A - Dure la vie d'un Parisien !

Trouvez la bonne définition parmi celles proposées pour les mots suivants :

1. Embouteillage
2. Galère
3. Pourboire
4. Métro
5. Banlieue

A. moyen de transport rapide (sauf en cas de grève) mais qui ne sent pas très bon.
B. ensemble des agglomérations qui entourent Paris que l'on retrouve le soir après beaucoup d'efforts.
C. vie aussi difficile que celle des hommes condamnés autrefois à ramer sur les bateaux du roi.
D. grande concentration de véhicules qui veulent avancer tous en même temps, et qui arrête la circulation.
E. somme d'argent que l'on donne en plus du prix à un serveur ou à un chauffeur de taxi.

B - Agréable la vie d'un Parisien !

1. Salle Gaveau.
2. Tour de France cycliste
3. Bains-Douches
4. Stade de France
5. Grand Palais.

A. événement mondial qui se termine à vélo sur les Champs-Elysées.
B. on ne s'y lave pas mais on y danse toute la nuit et on y rencontre des gens célèbres.
C. on peut découvrir les œuvres de Van Gogh ou de Salvador Dali.
D. on y entend les musiciens les plus exceptionnels.
E. on peut assister à une finale de Coupe du monde.

4 Les grandes écoles

Elles ont une réputation supérieure à celle des universités et leurs concours d'entrée sont très sélectifs. Elles étaient installées à l'origine dans le Quartier-Latin. Certaines ont déménagé pour des villes de la région parisienne ou la province. Retrouvez leur nom :

1. On l'appelle aussi « l'X » et, bien qu'elle dépende du ministère des Armées, elle est considérée comme la plus grande école d'ingénieurs.

2. Elle a été fondée par Napoléon pour former des spécialistes de l'extraction du charbon.

3. On y propose des formations supérieures de commerce.

4. On dit de ses diplômés qu'ils ont beaucoup de pouvoir et qu'ils transforment la République française.

5. C'est une école qui forme les officiers d'infanterie.

6. Elle forme des professeurs et des chercheurs de haut niveau.

5 PARIS AUX 100 VILLAGES

« J'ai deux amours, mon pays et Paris » dit une chanson populaire. Pouvez-vous nommer les différentes « spécialités » de chacun de ces lieux ?

1. Pigalle

2. Les Halles

3. Quartier-Latin

4. Les grands boulevards

5. Ile de la Cité

6. Beaubourg

7. Auteuil

8. Le cours de la Seine

9. La Défense

10. Montmartre.

6 DE DROITE OU DE GAUCHE ?

Donner le nom de deux grands journaux quotidiens nationaux, et de deux grands hebdomadaires nationaux.

▲ *Château de Chantilly, Oise.*

▲ *Versailles, le bassin de Latone.*

Exercices

7

« Le Palais royal est un beau palais où toutes les jeunes filles sont à marier »
Place et jardins dans lesquels étaient autrefois organisés des bals pour les gens de la haute société.
Que fait-on dans les autres palais ?
– le palais de Chaillot a entendu sa « folle »
– le palais Brongniart enregistre les fluctuations du CAC 40
– le palais Bourbon loge sa chambre
– le Petit Palais présente des toiles
– le palais de la Découverte expose sa science

8

Que signifient les sigles suivants :
TGV
RATP
SEITA
MNAM
HLM

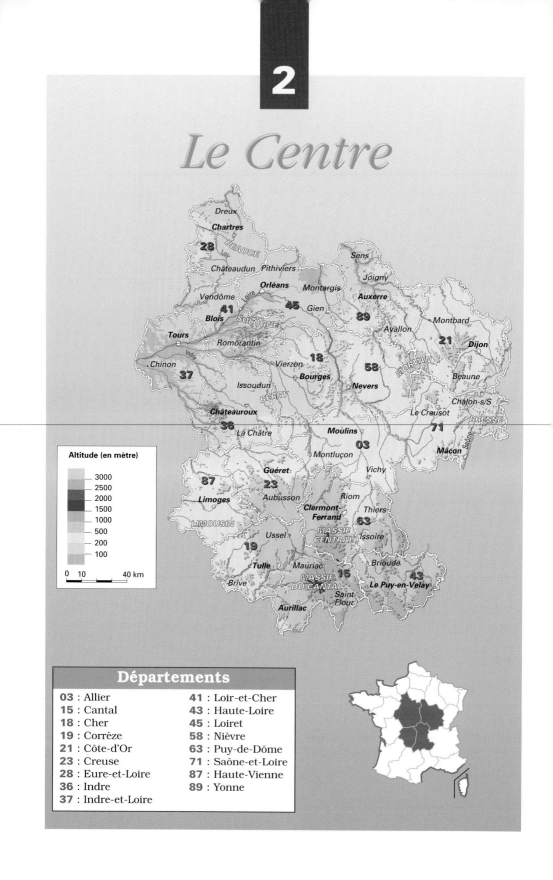

2

Le Centre

Altitude (en mètre)

- 3000
- 2500
- 2000
- 1500
- 1000
- 500
- 200
- 100

0   10   40 km

Départements

03 : Allier	**41** : Loir-et-Cher
15 : Cantal	**43** : Haute-Loire
18 : Cher	**45** : Loiret
19 : Corrèze	**58** : Nièvre
21 : Côte-d'Or	**63** : Puy-de-Dôme
23 : Creuse	**71** : Saône-et-Loire
28 : Eure-et-Loire	**87** : Haute-Vienne
36 : Indre	**89** : Yonne
37 : Indre-et-Loire	

● Identité

Sous le nom de « Centre », on peut regrouper quatre régions dont le point commun est de n'avoir aucune frontière terrestre avec les pays voisins de la France, et d'être à l'écart de la mer ou de l'océan ; c'est d'ailleurs là que se situe le centre géographique de la France près de la petite ville de Saint-Amand-Montrond ; il s'agit d'une partie du Massif central (Auvergne et Limousin) et des régions qui le bordent, du nord-ouest (Centre-Val-de-Loire) au nord-est (Bourgogne). L'ensemble de ces quatre régions représente en surface 20 % de la France, mais environ 9 % de sa population, avec une faible densité (26 habitants/km^2), inférieure à la moyenne nationale ; la région Centre-Val-de-Loire, à elle seule, avec six départements, a 2 ,4 millions d'habitants ; le Limousin, avec trois départements 710 000 habitants ; la Bourgogne, avec quatre départements, 1,6 million d'habitants, et enfin l'Auvergne avec quatre départements, 1,3 million d'habitants. Seules cinq villes dépassent 100 000 habitants, les quatre capitales régionales, Orléans, Limoges, Dijon et Clermont-Ferrand, et la ville de Tours.

▲ Image

L e « cœur de la France » offre une image très contrastée : le Val-de-Loire et la Bourgogne évoquent l'équilibre, la douceur de vivre, la culture ; l'Auvergne et le Limousin, par leurs paysages et leur situation même, laissent plutôt penser à la France du passé, restée à l'écart du grand mouvement de modernisation. L'autoroute qui doit traverser le Massif central du nord au sud n'est encore pas terminée, et il est toujours malaisé de circuler d'est en ouest, par des routes souvent difficiles. Dans l'esprit populaire, l'Auvergnat est longtemps resté un personnage rude, descendant direct de ces Gaulois qui tinrent longtemps Jules César en échec. Venu des régions pauvres – comme le Breton –, il va chercher du travail à Paris, où il devient marchand de charbon et cabaretier (« bougnat »). Cette image se modifie depuis plusieurs décennies, avec la mode de l'écologie et du retour à la nature, et les Auvergnats, les Limousins, les Bourguignons ou les Berrichons apparaissent comme les gardiens des traditions rurales, et les représentants d'une France moins riche, mais où il fait bon vivre.

◀ *Un paysage tout en douceur. Le canal latéral à la Loire.*

Histoire

Les régions du Centre ont connu un destin historique mouvementé. Elles furent le théâtre des luttes entre Jules César et les tribus gauloises dont le chef, Vercingétorix est d'abord vainqueur à Gergovie, puis vaincu – en 52 avant J.-C. – à Alésia, où il est fait prisonnier, avant d'être exécuté à Rome six ans plus tard. Pendant le Moyen Âge, on assiste aux luttes entre Anglais et Français, à la fin desquelles s'illustre l'héroïne Jeanne d'Arc, qui contribue à faire de Charles VII un roi de France respecté, avant d'être livrée aux Anglais et de mourir brûlée à Rouen en 1431.

Les siècles suivants verront peu à peu les provinces du Centre – Berry ou duché de Bourgogne – participer à l'unité du royaume.

▲ *La cathédrale Saint-Étienne à Bourges.*

La cathédrale de Chartres (façade ouest). ▶

Paysages

Le Val-de-Loire

De Paris, on n'est pas à plus d'une heure de voiture ou de train d'Orléans, au sommet de la boucle de la Loire, qui venant du Massif central, se dirige vers le sud-ouest, en direction de l'océan Atlantique. Après avoir traversé la riche plaine de la Beauce, « océan des blés », on entre dans un pays vallonné, au climat doux, avec des cultures maraîchères, des vergers, dont les poires et les pommes sont renommées, des vignes (vins de Touraine) et des prés. Mais c'est surtout, le long de la Loire et autour de sa vallée, le pays des châteaux, des abbayes et des villes chargés d'histoire. Si l'essentiel de l'activité est dû à l'agriculture et surtout au tourisme, l'industrie n'est pas absente de la région, surtout dans les grandes villes (Orléans, 105 000 habitants ; Tours, 130 000 habitants et Blois, 50 000 habitants).

La Sologne et le Berry

Plus au sud s'étend la Sologne, région au sol sablonneux où alternent étangs, forêts, landes de bruyères et cultures, avec quelques petites industries (bois, porcelaine et même armement). C'est surtout la région des grands domaines de chasse, au nombre de plus de 1 000.

Au-delà, c'est l'ancienne province du Berry, dont Bourges était la capitale. C'est un large plateau ondulé, où l'on trouve des paysages très variés : terres agricoles au nord (« Champagne berrichonne »), collines et

▲ *Argenton sur Creuse (Indre).*

rivières au centre, riche région d'élevage, marais et lacs dans la Brenne, à l'ouest.

La Bourgogne

Elle est située sur la bordure nord-est du Massif central, entre les vallées de la Loire, de la Saône et du Rhône ; elle présente un double visage : la montagne (le Morvan), avec ses forêts et ses prairies, et un pays de collines descendant vers la vallée de la Saône. Ainsi la région est-elle constituée de petits pays originaux : le Nivernais, avec ses pâturages, le Charollais, dont les bœufs sont réputés ; le bassin d'Autun, avec ses mines de charbon, aujourd'hui en sommeil, et son industrie métallurgique

▲ *Vue d'Orléans.*

▲ *Dijon.*

(Le Creusot) ; le Dijonnais, autour de l'ancienne capitale du duché de Bourgogne, Dijon, grand centre économique (industrie agro-alimentaire, électronique, optique) et universitaire (151 000 habitants). Au sud de Dijon, la Côte, en bordure de la vallée de la Saône, porte le célèbre vignoble où l'on produit les vins de Bourgogne.

Le Limousin

Il forme la bordure nord-ouest du Massif central, des plateaux granitiques, de 400 à 1 000 m d'alti-

▲ *Paysage de la Creuse.*

tude. C'est une région essentiellement agricole, dont les paysages sont souvent sévères, avec leurs gorges, leurs landes et leurs bois. Les vallées sont profondes, comme celles de la Creuse, de la Vézère ou de la haute Dordogne, où se succèdent d'impressionnants barrages (L'Aigle, 90 m de hauteur ; Bort, 120 m). Le « toit du Limousin » est le plateau de Millevaches – « mille sources » ou « pays vide » – et le département de la Creuse, le plus pauvre de la région, n'a que 124 000 habitants, moins que la capitale régionale, Limoges, la seule ville importante connue dans le monde entier par ses fabriques de porcelaine, comme l'est Aubusson, centre historique de la tapisserie.

L'Auvergne

Ancienne province du royaume, est aussi une des plus vieilles terres, puisqu'elle s'étend au cœur même du Massif central, l'une des montagnes primaires –

La Cité de l'acier

En 1836, les deux frères Schneider fondent au Creusot une usine qui va construire des locomotives à vapeur et des moteurs de navires. En 1843 est inventé le marteau-pilon et à partir de 1867 se développe l'industrie de l'acier. Récemment a été favorisé le tourisme industriel, qui permet de visiter les sites des usines métallurgiques et des mines.

▲ *Aubusson, la capitale de la tapisserie.*

chaîne hercynienne – avec la Bretagne, les Vosges et les Ardennes. Elle est surtout caractérisée par la présence de nombreux volcans éteints ou puys, surgis à l'ère tertiaire, et dont le plus haut, le Puy de

▲ *La chaîne des volcans éteints, les Puys.*

Sancy, atteint 1 886 m. C'est une région au climat très rude, où les communications sont difficiles : rares lignes de chemin de fer avec des ouvrages d'art (le viaduc de Garabit, construit par l'ingénieur Eiffel), routes sinueuses, cols enneigés. Le paysage dominant est celui de la moyenne montagne, avec ses bois de sapins, de hêtres ou de châtaigniers, de vastes pâturages avec leurs « burons », petites maisons de pierre où l'on prépare le fromage. Les industries sont rares en Auvergne, sauf à Clermont-Ferrand, capitale régionale (136 000 habitants) où se trouvent des ateliers de mécanique et surtout les usines de pneus Michelin. Le Massif

central est cependant riche en sources d'énergie (« houille blanche » avec les barrages, uranium). Ce pays de volcans est riche en stations thermales – la plus connue est celle de Vichy, où siégea entre 1940 et 1944 le gouvernement du maréchal Pétain (l'État français est souvent désigné comme « le régime de Vichy »). Enfin, en bordure du massif, quelques villes moyennes se signalent par leur spécialité industrielle (Moulins, Roanne et Montluçon avec des constructions métalliques) ou artisanale (dentelle du Puy, parapluies d'Aurillac).

▲ *Viaduc de Garabit, Cantal.*

Art de vivre

Dans le Val-de-Loire, les fêtes sont liées à l'histoire des cités et des monuments : fête de Jeanne d'Arc à Orléans (7-8 mai), spectacles « son et lumière ».

L'Auvergne a davantage gardé ses traditions rurales : on y danse encore la « bourrée », qui représente la poursuite d'une jeune fille coquette par son amoureux.

Le Limousin est le pays des Saints, qu'on vénère par des « ostensions »* où l'on présente leurs reliques*. À Magnac-Laval a lieu, à la Pentecôte, la plus longue procession de France, qui se déroule sur 54 km, dans la campagne. Le Berry passe encore de nos jours pour le pays des sorciers, tandis que la Bourgogne est tout naturellement le lieu des foires liées à la gastronomie et au vin, comme la vente aux enchères* de vins de Beaune.

Parmi les plats qui sont liés à ces régions, les plus célèbres sont sans doute le « bœuf bourguignon », à base de vin rouge et la « tarte Tatin » (tarte aux pommes caramélisée).

Mais c'est le vin qui fait l'essentiel de la réputation du Val-de-Loire (vins de Touraine, Bourgueil, Chablis, Sancerre) et surtout de la Bourgogne : Gevrey-Chambertain, Clos-Vougeot, Nuits-Saint-George, Aloxe-Corton, Pommard, Meursault...) dont les vignobles se succèdent sur une soixantaine de kilomètres au sud de Dijon, et qui figurent sur les meilleurs tables du monde.

▲ *Foire aux ânes à Lignières.*

La France des régions

◄ *Marché aux fromages (Cantal).*

Art – Monuments

L'ensemble des quatre régions du Centre offre un résumé parfait de l'art français. L'un des sites préhistoriques le plus célèbre est la roche de Solutré, au-dessus de la vallée de la Saône, une falaise abrupte d'où les chasseurs précipitaient, il y a 20 000 ans, les chevaux sauvages pour les tuer. De l'époque gauloise date le trésor de Vix, trouvé dans une tombe du VIe siècle avant J.-C. Autun, « ville d'Auguste » fut une importante cité romaine, où subsistent de nombreux vestiges.

Le Moyen Âge fut une époque de développement économique et artistique. En Bourgogne, la fondation, en 910 du monastère de Cluny, puis en 1115 de Clairvaux, permet l'expansion de la vie monastique et la création de nombreuses abbayes, comme celle de Fontenay (inscrite au Patrimoine mondial). Parmi les plus belles réalisations architecturales du Moyen Âge roman, on peut retenir l'abbaye de Cluny, presque totalement détruite après la Révolution de 1789, où se trouvait la plus grande basilique du monde chrétien, l'église Saint-Lazare d'Autun, la basilique Sainte-Madeleine de Vézelay (inscrite au Patrimoine mondial), Saint-Philibert de Tournus, et de nombreuses cathédrales comme celle du Puy ou la basilique Notre-Dame du Port de Clermont-Ferrand. L'art gothique se retrouve dans quelques grandes cathédrales (Orléans, Limoges) et à Bourges, l'une des plus grandes de France, avec une nef* de 124 m de long, de 41 m de large – la plus large de France – et 37,15 m de hauteur et qui est inscrite au Patrimoine mondial. L'abbaye de la Chaise-Dieu à mille mètres d'altitude en Auvergne, est particulièrement connue par ses stalles richement décorées, ses tapisseries flamandes et une fresque représentant une « Danse macabre » où

▲ *La nef romane de Vézelay.*

▲ *Un vitrail de la cathédrale de Chartres.*

les morts font danser les vivants. Dans le nord de la région, au centre de la plaine de la Beauce, la cathédrale de Chartres (inscrite au Patrimoine mondial) est l'un des plus beaux ensembles de l'art religieux français, avec un portail roman, une nef gothique avec des vitraux des XIIe et XIIIe siècles.

L'architecture civile du Moyen Age se rencontre partout, dans des châteaux forts (Culan, Chateaudun, Boussac), des cités fortifiées (Loches, Salers, Saumur ou Chinon, où commence l'épopée de Jeanne d'Arc), des quartiers anciens, comme à Tours ou à Bourges, où se trouve l'un des rares palais du XVe siècle. A Beaune, au cœur du vignoble de Bourgogne,

s'élève l'Hôtel-Dieu, fondé en 1443 et qui servait encore d'hôpital il y a quelques années.

Mais le Centre de la France, c'est aussi – ou d'abord – la suite prestigieuse des châteaux de la Loire ; beaucoup datent de la fin du Moyen Âge, et montrent comment

l'art de la Renaissance a transformé l'architecture (Azay-le-Rideau, Blois, Chaumont, Chenonceaux) par de plus larges ouvertures et la présence de jardins. D'autres, de pur style Renaissance, datent du XVIe siècle ; le plus grand d'entre eux, Chambord, commencé en 1519, comprend avec 156 m de long sur 117 m de large, 440 pièces et 365 cheminées. L'empereur Charles-Quint, invité par François Ier put dire qu'il était « un abrégé de l'industrie humaine ».

Enfin la Bourgogne est riche en monuments de l'art classique, comme le Palais des Etats de Bourgogne et la place royale de Dijon.

▲ *Château d'Azay-le-Rideau.*

▲ *Nobant, patrie de George Sand. L'église.*

Parlé, écrit...

Le Centre est un pays de contact : le patois limousin appartient à la langue d'oc, tandis que le Val-de-Loire, de langue d'oil, est réputé pour être la région où le français est le plus pur. Partout on parle avec un accent provincial, comme la Bourgogne où l'on « roule les r ».

La littérature des pays du Centre est particulièrement riche. C'est là qu'est né au XIIIᵉ siècle, le *Roman de la Rose* ; c'est là que Charles d'Orléans a écrit ses poèmes ; c'est là que Rabelais, Ronsard, Du Bellay sont nés. Plus près de nous, Vigny et Balzac (« le *Curé de Tours* »), Péguy et Proust y ont situé leur œuvre. Le souvenir de George Sand est lié au Berry, en particulier pour ses « romans champêtres », *La Mare au diable*, comme Jean Giraudoux l'est au Limousin, *L'Apollon de Bellac*, *Siegfried et le Limousin*.

De nombreux peintres ont aussi illustré les régions du Centre, comme le portraitiste Jean Fouquet (1420-1480),

le Maître de Moulins (XVᵉ siècle), ou Léonard de Vinci, mort à Amboise. Claude Monet a peint une célèbre « série » de paysages de la vallée de la Creuse.

Châteaux de Loire

Le long du coteau courbe et des nobles vallées

Les châteaux sont semés comme des reposoirs

Et dans la majesté des matins et des soirs

La Loire et ses vassaux s'en vont par ces allées

Cent vingt châteaux lui font une suite courtoise

Plus nombreux, plus nerveux, plus fins que des palais

Ils ont nom Valençay, Saint-Aignan et Langeais,

Chenonceaux et Chambord, Azay, Le Lude, Amboise...

Charles Péguy

9 LES CHÂTEAUX DE LA LOIRE

Le château de Chenonceaux est appelé le château des six femmes. Complétez le texte avec les mots suivants :

- une famille privée
- décore
- le grand jardin
- une galerie
- céder le château au roi

La première dame fut Catherine Bohier au début du XVIe siècle. Son mari est trésorier des finances. Elle participe activement à l'élaboration des plans. A sa mort, son fils doit ...... car Bohier a confondu en partie les finances du royaume et ses propres finances. Henry II, roi de France offre le château à sa maîtresse Diane de Poitiers. Elle fait planter ...... devant le château et ajoute un pont qui enjambe la rivière. A la mort du roi, elle doit abandonner le château à la reine Catherine de Médicis. Cette dernière commande un parc et construit ...... sur le pont. Louise de Lorraine, femme de Henri III se retire à Chenonceaux après l'assassinat de son mari et inconsolable ...... sa chambre de noir. Madame Dupin, à la fin du XVIIIe siècle recevra dans son salon toutes les célébrités de l'époque. Jean-Jacques Rousseau y passera des heures agréables. Grâce à sa réputation et sa générosité, le château ne sera pas touché pendant la Révolution. Au XIXe siècle, en 1864, madame Pelouze achète le château et le restaure, aujourd'hui encore, il appartient à ......

10 LES CHÂTEAUX FORTS

Les derniers châteaux forts qui répondent à des besoins militaires sont construits avant la fin du XVe siècle. Sous l'influence de l'Italie, l'architecture se modifie.

Quelles sont les caractéristiques du style « Renaissance » des éléments suivants ? :

- murs
- fenêtres
- escaliers

▲ *Château de Valençay.*

Exercices

- toits
- cheminées
- ornements
- jardin

D. pneumatique
E. moutarde
F. tapisserie
G. dentelle
H. eau minérale

11 LE GROUPE SCHNEIDER

Complétez les phrases suivantes avec les mots ou expressions de la liste ci-dessous :
- des locomotives
- chiffres d'affaires
- se développe
- inventé
- une usine

En 1836, les deux frères Schneider fondent au Creusot .... où l'on construit des ...... à vapeur et des moteurs de navires. En 1843, le marteau-pilon est ...... et en 1867, l'industrie de l'acier ...... En 1998, le groupe Schneider compte 70 000 salariés, est numéro un mondial pour les appareillages électriques basse tension, et à un ...... de plusieurs milliards de francs.

12

Associez chaque ville à un produit caractéristique :
1. Clermont-Ferrand
2. Limoges
3. Aurillac
4. Dijon
5. Vichy
6. Le Creusot
7. Aubusson
8. Le Puy

A. aciéries
B. parapluie
C. porcelaine

13 ET DANS VOTRE PAYS ?

1. Quel est le château le plus célèbre ?

2. Quand a-t-il été construit ? et par qui ? Quelles sont ses caractéristiques ?

3. Quelles anecdotes ou quels événements importants se sont déroulés dans ce château ?

▲ *Au bord de l'Allier.*

Le Nord et l'Est

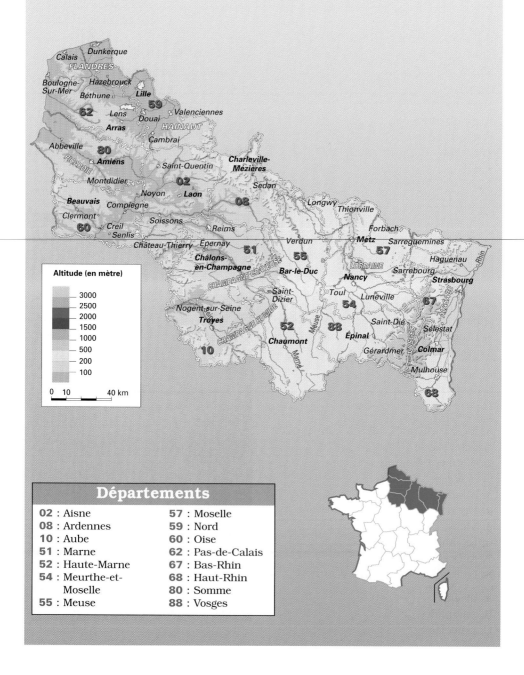

Altitude (en mètre)

- 3000
- 2500
- 2000
- 1500
- 1000
- 500
- 200
- 100

0   10   40 km

Départements

02 : Aisne	**57** : Moselle
08 : Ardennes	**59** : Nord
10 : Aube	**60** : Oise
51 : Marne	**62** : Pas-de-Calais
52 : Haute-Marne	**67** : Bas-Rhin
54 : Meurthe-et-Moselle	**68** : Haut-Rhin
55 : Meuse	**80** : Somme
	88 : Vosges

● Identité

Les cinq régions qui forment le Nord et l'Est de la France séparent notre pays de la Belgique, du Luxembourg et de l'Allemagne. Avec plus de onze millions d'habitants, elles représentent près de 20 % de la population française. Ce sont :
– le Nord-Pas-de-Calais, (capitale Lille) qui regroupe deux départements très peuplés (quatre millions d'habitants).
– la Picardie (capitale Amiens), avec trois départements, au caractère plus rural, 1 850 000 habitants.
– la Champagne-Ardenne (capitale Châlons-en-Champagne), quatre départements, 1 350 000 habitants.
– la Lorraine (capitale Metz), quatre départements, 2 311 000 habitants.
– l'Alsace, avec deux départements, 1 690 000 habitants (capitale Strasbourg) est, en superficie la plus petite région française.

▲ Image

Le Nord et l'Est ont en général mauvaise réputation, même si ce sentiment ne correspond pas à la réalité : ce sont des régions tristes, avec des paysages industriels, des mines de charbon (on parle du « pays noir »), et il y fait froid. Cette image négative est encore renforcée par le fait que ce sont les régions de France les plus touchées par les guerres, du Moyen Âge au XXe siècle. Mais ce sont aussi des régions riches en monuments, et présentant souvent de très beaux paysages (côte de la Mer du Nord, Ardennes, Vosges…), et où, malgré un climat assez rude, il fait bon vivre, comme le montrent les fêtes colorées que sont les « kermesses » du Nord ou les Noëls alsaciens.

▲ *Gerberoy, village de France (Oise).*

Ces régions frontières (« marches ») ont toujours été le théâtre de grandes batailles et d'invasions étrangères, même si certaines de ces provinces (La Lorraine, l'Alsace) ont été tardivement françaises. A Bouvines (1214) le roi Philippe-Auguste vainquit l'empereur d'Allemagne ; à Crécy, en 1346, au début de la Guerre de Cent ans, le roi d'Angleterre Edouard III battit le roi de France Philippe VI, grâce à ses archers et aux « bombardes », les tout premiers canons. En 1415, les Français furent écrasés par les Anglais à Azincourt ; mais trois ans plus tôt était née Jeanne d'Arc, à Domrémy, petit village de Lorraine ; elle sera nommée par le roi Charles VII chef de l'armée et commencera à « bouter »* les Anglais hors de France, avant d'être brûlée par eux à Rouen.

Au XVIIᵉ siècle, la Lorraine est dévastée pendant la Guerre de Trente ans ; les Espagnols et les Français s'affrontent à Rocroi (1643). Les troupes de la Révolution, en 1792, livrent une célèbre bataille à Valmy, qui, selon Gœthe, « ouvre une ère nouvelle ». La même année est composé à Strasbourg, par Rouget de Lisle le « chant de guerre pour l'armée du Rhin », qui deviendra l'hymne national, la Marseillaise. En 1814, la Marne vit les derniers combats de Napoléon Iᵉʳ ; en 1870, Napoléon III dut capituler devant les Prussiens à Sedan.

Mais tout le Nord et l'Est furent le théâtre des combats les plus meurtriers pendant la Première Guerre mondiale, sur la Marne, sur la Somme, à Verdun où se battirent plusieurs millions d'hommes et où moururent plus de 400 000 soldats de chacune des deux armées. Durant la Seconde Guerre mondiale, malgré la « ligne Maginot »*, qui devait empêcher l'invasion allemande, il y eut de durs combats en 1940, puis en 1944-1945, dans les Vosges, dans les Ardennes et en Alsace. Toutes ces régions sont riches en architecture militaire, de la citadelle de Lille, due au grand architecte Vauban, aux forts de Verdun (Vaux, Douaumont).

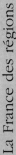

La France des régions

◀ *La citadelle de Bitche (Moselle).*

▲ *Château-fort de Coucy-le-château (Aisne).*

Paysages

La côte de la Manche et du Pas-de-Calais

Elles bordent un arrière-pays de collines, traversé de belles rivières. De la baie de la Somme à la frontière belge, c'est la Côte d'opale, avec ses plages (Le Touquet-Paris-plage) et ses falaises qui, à partir du cap Gris-nez font face à celles de l'Angleterre : 38 km seulement séparent Douvres de Calais. Boulogne est le premier port de pêche fraîche de la Communauté européenne, et le deuxième port de voyageurs français. Le premier est Calais, où s'ouvre le tunnel sous la Manche. La ville est célèbre par l'épisode des « bourgeois de Calais », qui se sacrifièrent pour éviter un massacre des habitants par les Anglais en 1346, et qui furent immortalisés par l'œuvre du sculpteur Rodin.

Lille

Elle est la capitale régionale du Nord-Pas-de-Calais, avec 190 000 habitants. C'est un centre universitaire (quatorze écoles d'ingénieurs), et industriel (filatures, industries mécaniques et chimiques). L'ancienne Bourse rappelle la présence des Espagnols au XVIIe siècle. C'est une cité commerçante animée, où l'on trouve la plus grande librairie de France (Le Furet du Nord). Tous les ans s'y déroulent la « Grande kermesse » et la « Grande Braderie ». Au sud de Lille s'étend le bassin* houiller, sur une centaine de kilomètres, dont l'activité a progressivement diminué, mais qui a marqué le paysage, avec les puits de mines et les longues rues de petites

▲ *Arras.*

▲ *Aux environs d'Amiens.*

La Lorraine

La Lorraine est dans son ensemble une région agricole, sauf le nord de la région, qui forme un carrefour entre la France et les pays voisins, et qui est essentiellement industriel, grâce à un important bassin houiller et des gisements* de minerai de fer (bassins de Briey et Longwy). De là est née

maisons basses, les « corons », où habitent les « gueules noires » (mineurs). Plus au sud encore s'étend la Picardie, riche région agricole, dont Amiens est le centre. Le Nord et la Picardie sont traversés par de nombreux canaux, qui donnent au paysage son aspect particulier.

La Champagne

C'est un vaste ensemble de plateaux, à la végétation rare (« Champagne pouilleuse ») ; l'activité industrielle y est variée, du textile à la métallurgie. La seule région de Troyes représente près du quart de la bonneterie française. La ville la plus connue est Reims (122 000 habitants), au centre d'un des vignobles les plus célèbres du monde.

Les Ardennes

Au nord de la région, les Ardennes sont un massif montagneux dont la plus grande partie est en Belgique. Il est traversé par la vallée de la Meuse. C'est une région de forêts et d'élevage, mais avec une industrie métallurgique, textile, et de biens d'équipement (électroménager).

Au sud-est s'étendent le plateau lorrain et les Vosges, massif primaire dont le versant est borde la plaine d'Alsace.

▲ *Vase aux raisins, verre multicouche, poudres vitrifiées. Musée des beaux-arts à Nancy.*

Le Champagne

Le champagne est d'abord un vin parmi d'autres ; c'est à la fin du XVIIe siècle que Dom Pérignon perfectionne la préparation. C'est un assemblage de raisins rouges (75 %) et blancs (25 %). Après une première fermentation, on ajoute du sucre de canne et des levures. Il se fait alors une seconde fermentation ; au bout de deux à trois ans, un dépôt se forme, et les bouteilles sont remuées, pour que ce dépôt se fasse près du bouchon, et qu'on puisse l'éliminer.

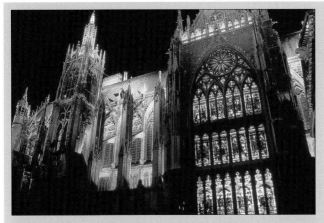

▲ *La cathédrale de Metz.*

une industrie sidérurgique (Aciéries de Lorraine – Sacilor) avec 50 % de la production nationale.

Les deux grandes villes historiques de Lorraine sont Metz et Nancy. Cette dernière est une ville d'art, dont la place Stanislas (XVIIIe siècle), avec ses grilles, ses pavillons, ses balcons, ses fontaines, est inscrite au Patrimoine mondial ; c'est aussi un centre universitaire et une importante « technopole »*.

Les Vosges

Les Vosges, massif primaire auquel correspond, de l'autre côté du Rhin, la Forêt Noire, s'étendent sur plus de 125 km du nord au sud. Les sommets, arrondis (les « ballons ») sont assez peu élevés (1 424 m pour le Grand Ballon), dominant de hauts pâturages, des pentes couvertes de sapins et trouées de lacs (Gerardmer…). C'est une région de petite industrie : textile (Saint-Dié), papeterie (Epinal, où l'on imprimait autrefois des images simples et colorées, et dont le nom – image d'Epinal – est synonyme de « stéréotype »), verrerie (Baccarat). Les Vosges sont riches en stations thermales réputées (Vittel, Contrexeville) et le tourisme fait une bonne partie de sa richesse.

L'Alsace

La plaine d'Alsace n'a, entre le Rhin qui forme la frontière avec l'Allemagne et les Vosges, qu'une vingtaine de kilomètres de large. C'est une riche région agricole, qui produit du tabac, du houblon pour l'élaboration de la bière, des fruits, et possède un vaste vignoble, sur les premières pentes des Vosges ; dans les villages ou petites villes pittoresques, avec leurs maisons à colombage et leurs nids de cigognes, comme Riquewihr ou Kaysersberg, on fait un vin – Riesling ou Traminer – de réputation mondiale.

L'industrie n'est pas absente, en particulier par la production de potasse. Au sud, Mulhouse (109 000 habitants) est depuis le XVIIIe siècle connu par ses fabriques de toile. Au nord, Strasbourg (252 000 habitants), capitale régionale, longtemps disputée entre la France et l'Allemagne, est le siège de

▲ *Balcons fleuris à Turckheim.*

l'Assemblée européenne. C'est une ville d'art et une ville universitaire, avec de nombreux centres de recherche, mais c'est aussi le deuxième port fluvial de France. Le grand canal d'Alsace double le Rhin sur 51 kilomètres ; il est plus large que le canal de Suez et permet d'assurer la navigation de plus de 30 000 bateaux par an entre Bâle et Strasbourg.

La « ligne bleue des Vosges »

La « ligne bleue des Vosges ». Ce terme désignait, entre 1871 et 1914, la frontière entre l'Allemagne, qui avait annexé l'Alsace, et la France. Avoir l'œil fixé sur la ligne bleue des Vosges désigne encore un nationalisme rigide.

▲ *La « Petite France » à Strasbourg.*

Art de vivre

Un climat rude, le froid, la pluie, la neige n'empêchent pas une certaine joie de vivre, et développe au contraire le sens du confort, des réunions entre amis et des fêtes. Dans les kermesses ou les « ducasses » des Flandres, la bière coule à flots ; on pratique encore des jeux qui remontent au Moyen Âge, comme le tir à l'arc. En Alsace, la fin de l'année est animée par le « marché de Noël » où l'on peut se procurer, un mois à l'avance, tout ce qui est nécessaire pour la fête, victuailles et décorations. La gastronomie de ces régions se caractérise par des nourritures souvent fortes et lourdes : potée champenoise (à base de porc, de chou et de pommes de terre) ou lorraine, choucroute alsacienne (avec du chou fermenté). La Lorraine a aussi donné son nom à la « quiche », une tarte à base de lard et de crème. Plus apprécié par les connaisseurs est le foie gras, l'une des spécialités de l'Alsace.

▲ *Hunawihr (Haut-Rhin).*

La France des régions

Art – Monuments

▲ *Arras.*

Malgré les destructions dues aux guerres, le Nord et l'Est ont beaucoup de richesses artistiques, en particulier quelques-unes des plus illustres cathédrales gothiques. L'une des plus anciennes est celle de Laon, avec ses tours de 56 mètres de hauteur. Celle de Beauvais vit sa nef et sa tour s'effondrer ; celle d'Amiens (inscrite au Patrimoine mondial), dont la nef a 145 mètres de long et 42,30 mètres de haut (la plus haute de France) possède de magnifiques stalles de la Renaissance.

La cathédrale de Reims (inscrite elle aussi au Patrimoine mondial), l'une des plus grandes du monde chrétien, a une façade ornée de statues dont le célèbre « ange au sourire ». C'est à Reims qu'étaient sacrés les rois de France.

En Lorraine la cathédrale de Metz se signale par de magnifiques verrières (6 500 m^2) qui lui ont valu le surnom de « lanterne du Bon Dieu ».

En Alsace, la cathédrale de Strasbourg a une silhouette unique, car une seule tour (142 mètres au dessus du sol) a pu être terminée, sa construction ayant demandé plusieurs siècles. Célébrée par Goethe, elle est inscrite au Patrimoine mondial.

Le Nord et l'Est sont aussi riches en magnifiques ensembles urbains, comme Colmar, en places monumentales (Nancy), en beffrois (tours avec horloge, à Lille ou Calais) et châteaux (Palais Rohan à Strasbourg).

Des peintres de renom y ont vécu ou créé : Mathias Grünewald, Georges de la Tour, les frères Le Nain, Callot, qui a peint les « Misères de la guerre ».

▲ *L'ange au sourire, cathédrale de Reims.*

Les stalles

Les stalles sont destinées aux prêtres ou aux moines dans le chœur. Chacun dispose d'un siège qui peut se relever et forme alors la « miséricorde », qui permet de rester debout sans fatigue, pendant des longs offices. Les stalles sont généralement sculptées, avec des décors variés (personnages, souvent expressifs, fleurs, feuillages stylisés...

La langue du Nord, ou langue d'oil (=oui) s'oppose à celle du Midi ou langue d'oc. C'est d'elle que naîtra le français moderne, et c'est d'elle que se serviront les premiers écrivains : Chrétien de Troyes, au XIIᵉ siècle, chante les aventures de Lancelot et de Perceval ; au XIIIᵉ siècle, ce sont les trouvères*, poètes lyriques, Villehardouin qui raconte la vie de Saint Louis, Adam de la Halle, l'un des premiers auteurs de théâtre. Au XIVᵉ siècle, Froissart tient la chronique de la Guerre de Cent Ans, et au XVᵉ siècle Commines se fait l'historien de Louis XI. Parmi les grands écrivains du Nord, il y aura, au XIXᵉ siècle, l'historien Michelet, le critique Taine et le poète « maudit », Rimbaud.

L'Alsace est à part : sa langue courante est un dialecte proche de l'allemand, qui appartient au groupe linguistique souabe. Au XIXᵉ siècle, Erckmann et Chatrian contribuèrent à créer une mythologie historique alsacienne (*L'Ami Fritz*).

Strasbourg vu par Victor Hugo :

« *J'ai ma fenêtre ouverte sur la place d'Armes. J'ai à ma droite un bouquet d'arbres, à ma gauche le Munster, devant moi, au fond de la place une maison du seizième siècle, fort belle, quoique badigeonnée en jaune avec contrevents verts ; derrière cette maison, les hauts pignons d'une vieille nef où est la bibliothèque de la ville ; au milieu de la place une baraque en bois d'où sortira, dit-on, un monument pour Kléber ; tout autour, un cordon de vieux toits assez pittoresques (...) Le Munster est véritablement une* merveille. *Les portails de l'église sont beaux, particulièrement le portail roman ; il y a sur la façade de très superbes figures à cheval, la rosace est noble et bien coupée, toute la face de l'église est un poème savamment composé. Mais le véritable triomphe de cette cathédrale, c'est la flèche... »*

(Le Rhin, lettres 29 et 30)

▲ *La cathédrale de Strasbourg.*

Exercices

14 CHANSON

Voici un passage d'une célèbre chanson d'Enrico Macias : « les gens du Nord » : « les gens du Nord ont dans leur cœur la chaleur qu'ils n'ont pas dehors. » Comment et dans quelles circonstances peut se manifester cette chaleur ?

▲ Sierek-les-Bains (Moselle).

15 DES VILLES ET DES HOMMES

1. Quelles institutions européennes sont situées à Strasbourg ?

2. Quelle autre langue que le français parle-t-on à Strasbourg ?

3. Que représente le drapeau européen ?

4. Qu'est-ce que l'euro ?

5. Qu'est-ce que la « Petite France »

6. Quelle est la particularité spécifique de la cathédrale de Strasbourg ?

7. À propos de quel massif montagneux parle-t-on de « ligne bleue » ?

8. À quelle boisson Reims doit-elle sa réputation ?

9. Qu'est-ce qu'un coron ? qu'est-ce qu'une « gueule noire « ?

10. À quelle bataille de la « Grande Guerre » sont associés des taxis ?

16

1. Qu'est-ce qui a favorisé le développement industriel du Nord et de l'Est ?

2. Quelles sont les raisons des difficultés actuelles ?

3. Comment se nomme le plat traditionnel alsacien ?

4. À partir de quels produits fabrique-t-on la bière ?

5. Sur la « Côte d'opale », quelle côte aperçoit-on par beau temps ?

▲ Niedermorschwihr (Alsace).

4

Le Centre-Est

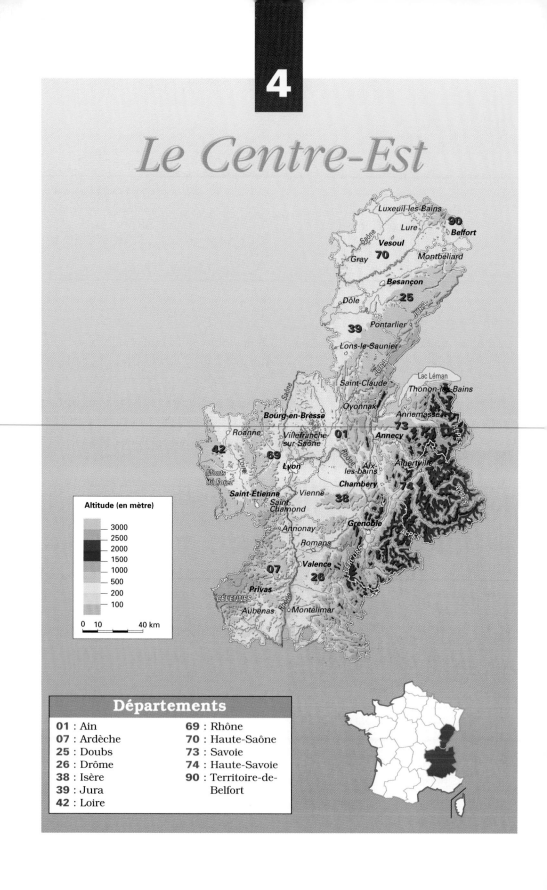

Altitude (en mètre)

- 3000
- 2500
- 2000
- 1500
- 1000
- 500
- 200
- 100

0 10   40 km

Départements

01 : Ain
07 : Ardèche
25 : Doubs
26 : Drôme
38 : Isère
39 : Jura
42 : Loire

69 : Rhône
70 : Haute-Saône
73 : Savoie
74 : Haute-Savoie
90 : Territoire-de-
Belfort

● Identité

Le long de la Suisse et du Nord de l'Italie s'étendent deux régions, d'importance inégale :
– la Franche-Comté, 1,1 million d'habitants avec quatre départements et dont la capitale est Besançon,

– Rhône-Alpes, 5,6 millions d'habitants, la deuxième région la plus peuplée de France, avec six départements, et dont la capitale est Lyon.

▲ Image

L'image de ces régions est double, évoquant à la fois la montagne et la plaine, la nature et l'industrie, la ville et la campagne. Le Jura c'est pour beaucoup l'horlogerie, de sombres forêts de sapins, le « pôle du froid », le fromage de Comté et le ski de fond. Parler des Alpes, c'est d'abord nommer le sommet de l'Europe, le mont Blanc, les grand massifs montagneux, les Jeux Olympiques

▲ *Chamrousse.*

d'hiver (Chamonix, Grenoble, Albertville), le ski, l'escalade ; c'est aussi se rappeler l'essor économique né de l'hydroélectricité, la « houille blanche »*. C'est encore évoquer le caractère des habitants, habitués à la « résistance » : les Allobroges contre les Romains, les Dauphinois contre les Savoyards, les luttes de 1944 lors de la Libération. La Drôme et l'Ardèche apparaissent comme le paradis de ceux qui refusent la vie moderne et cherchent un retour à la nature. Enfin, la région lyonnaise évoque à la fois l'activité industrielle et la gastronomie, un mélange de modernité et de tradition.

◄ *Paysage du Jura.*

Histoire

Les régions du Centre-Est ont été parmi les plus actives pendant la période gallo-romaine : Besançon était la capitale de la Séquanée. Vienne, capitale des Allobroges, devint une grande capitale gallo-romaine, et Lyon fut en 27 avant J.-C. capitale des Gaules, avant d'être l'un des premiers centres du christianisme.

Le Dauphiné fut rattaché à la France en 1349 ; le fils aîné du roi prit le nom du « dauphin ».

Du XIVe siècle au XVIIe siècle, la Franche-Comté dépendit du duc de Bourgogne, puis de l'empereur d'Autriche, et resta sous la domination de l'Espagne jusqu'en 1674. C'est à Grenoble, en 1788, qu'eurent lieu les premières assemblées préparant la Révolution. Lyon s'opposa en 1793, au gouvernement central (la Convention) ; la ville fut débaptisée, menacé d'être détruite, et le régime de la Terreur y fut de nombreuses victimes.

La Savoie, partie du royaume de Piemont-Sardaigne, ne fut rattachée à la France qu'en 1860.

En 1943-1944, la Résistance à l'occupation allemande fut particulièrement active en Savoie et en Dauphiné, marquée par les combats du Vercors, et valut à la ville de Grenoble le titre de « compagnon de la Libération ».

▲ *Le lion de Belfort devant la citadelle.*

Une industrie majeure ▶
en Franche-Comté :
la construction automobile.

La France des régions

Paysages

La Franche-Comté

Les monts du Jura bordent la Suisse, en forme de croissant, sur 300 km de long et 70 km de largeur moyenne. C'est un haut plateau, qui culmine à 1 718 m au Crêt de la Neige, et qui s'incline en pente douce vers l'ouest. La forêt (sapins) occupe près de 40 % du territoire, et l'on comprend que l'industrie et l'artisanat du bois (meubles, jouets) reste vivante. L'élevage permet une forte production laitière, en partie utilisée pour la fabrication du fromage, le comté ou « gruyère français », pour lequel 600 litres de lait donnent une « meule » de quarante-huit kilos.

La capitale régionale, Besançon en est la principale ville (114 000 habitants) avec une université et un centre de

▲ *Besançon, patrie de Victor Hugo.*

l'industrie horlogère. D'autres industries sont implantées en Franche-Comté : céramique sanitaire, chlorure de polyvinyle (40 % de la production française), locomotives électriques (Alstom à Belfort) et construction automobile (Peugeot à Sochaux-Monbéliard).

La Savoie

La Savoie, plus au sud, formée de deux départements (Haute-Savoie avec Annecy, Savoie avec Chambéry) recouvre les Alpes du Nord, sur une centaine de kilomètres du lac Léman (ou lac de Genève) à la vallée de l'Isère au sud. C'est le domaine des « grandes Alpes » dont le massif du Mont-Blanc (4 810 m, le sommet de l'Europe) est l'image la plus commune. Trois grandes vallées, toutes trois fortement industrialisées, la parcourent (Arve, Arc et Isère) et grâce à l'énergie hydroélectrique (la « houille blanche ») se sont développées d'importantes usines d'électrochimie et d'électrométallurgie ; les « centrales » sont alimentées par de gigantesques

▲ *Une fromagerie en Franche-Comté.*

▲ *Valmorel, une nouvelle station de ski… à l'ancienne (Savoie).*

légende). Lorsque le Dauphiné fut rattaché au royaume de France, en 1349, le fils aîné du roi devint seigneur de la province et porta désormais le titre de « dauphin ». Dans l'usage courant, le mot désigne actuellement le successeur supposé d'un personnage important.

barrages (Tignes, Roselend). Le tourisme n'en a pas moins gagné sa place – chacun connaît Chamonix, où eurent lieu les premiers jeux Olympiques d'hiver en 1924, et où s'ouvre le tunnel du Mont-Blanc qui permet le passage facile en Italie ; c'est là que se retrouvent les alpinistes du monde entier pour des escalades d'hiver ou d'été ; le téléphérique de l'Aiguille du Midi (3 842 m), la Mer de Glace (glacier de 14 km de long) attirent particulièrement les touristes, qui fréquentent aussi les nombreuses stations de renommée mondiale (Val d'Isère, Megève, Tignes, Courchevel…).

Les villes sont des « villes moyennes » où se réalise l'équilibre entre industrie et tourisme : Annecy (50 000 habitants), avec son lac et ses usines d'articles de sport, Salomon-Adidas ; Aix-les-Bains, Evian, Thonon, stations thermales, Chambéry (54 000 habitants) centre commercial et culturel, ancienne capitale historique de la Savoie, avec une université en développement.

Le Dauphiné

Le nom de Dauphiné date du moyen âge, le comte Guigues ayant pris le nom de « dauphin » (prénom latin, Delphinus, qui correspond à l'animal marin ami des hommes, selon la

▲ *Grenoble, la cathédrale Notre-Dame et le monument des « Trois ordres » commémorant la Révolution de 1789.*

Chedde, une usine au pied du Mont-Blanc

Non loin de Chamonix, dans la vallée de l'Arve s'installe à la fin du XIXe siècle une usine chimique fabriquant des chlorates, puis des explosifs – la « cheddite », – et de l'aluminium. Après la Seconde Guerre mondiale, elle se spécialise dans la production de graphite nucléaire. Née avec le développement de l'hydroélectricité, l'usine connaît une situation difficile, avec la perte de nombreux emplois, les problèmes d'environnement devenant de plus en plus sensibles.

▲ *Annecy, au bord du lac.*

Le Dauphiné recouvre la partie centrale des Alpes, avec de très hauts massifs dépassant 4 000 mètres d'altitude (Pelvoux, Oisans), ses glaciers, ses routes impressionnantes (cols du Galibier, 2 645 m, de l'Iseran, 2 770 m) et ses stations de sports d'hiver, l'Alpe d'Huez, Chamrousse, sites des Jeux Olympiques d'hiver en 1968. Mais le Dauphiné est aussi constitué par deux massifs calcaires, la Chartreuse et le Vercors, moins élevés, régions d'élevage et de tourisme. C'est en Chartreuse que se trouve le monastère de la Grande Chartreuse, fondé en 1084 par saint Bruno. Au confluent des vallées de l'Isère et du Drac s'étend la ville de Grenoble (151 000 habitants, plus de 440 000 avec l'agglomération), connue autrefois comme la capitale de la ganterie. C'est un grand centre industriel (électronique, informatique, chimie…) avec une importante université de plus de 50 000 étudiants, des centre de recherche, comme le Centre d'Etudes Nucléaires et le « synchrotron européen ». La vallée de l'Isère, très riche, produit la célèbre noix de Grenoble. Au sud, entre le Vercors et la vallée du Rhône, s'étend le département de la Drôme, qui rattache le Dauphiné au Midi de la France, avec un climat

▲ *Le monastère de la Grande-Chartreuse.*

plus chaud et une végétation méditerranéenne (olivier, lavande), et dont la capitale, Valence, avec plus de 100 000 habitants est un centre industriel et commercial important.

▲ *La Porte des Jacobins à Bourg-en-Bresse.*

Vers le Rhône

Autour du Rhône, s'étendent des régions très variées. Au nord du fleuve à sa sortie du lac Léman et touchant au Jura, le Bugey est encore un pays de montagne – la Bresse, plus basse, est connue par ses élevages de volaille et ses industries agro-alimentaires, et la Dombes, avec ses milliers d'étangs, une réserve pour les poissons et les oiseaux.

Lyon, capitale de la région Rhône-Alpes, au confluent du Rhône et de la Saône est la grande métropole du centre-est, qui dispute à Marseille la place de deuxième ville de France, avec 1 132 000 habitants. Lyon fut un carrefour commercial avec sa célèbre foire, à la fin du Moyen Âge, et fut une des toutes premières villes où se développa en Europe l'imprimerie, avec 100 ateliers en 1515. Son essor est aussi dû à l'industrie de la soie, dès le XVIᵉ siècle.

La soierie lyonnaise

Au XVIᵉ siècle, la soie venait d'Italie. À la fin du régne de François Iᵉʳ, on comptait à Lyon 18 000 métiers à tisser. Au début du XIXᵉ siècle fut inventé le métier à tisser de Jacquard, à cartes perforées. Le passage à l'ère industrielle fut marqué par des soulèvements populaires (1831-1832). À partir de 1875, l'introduction du métier mécanique et la mode précipitèrent le déclin de la soierie, accentué par la découverte de la soierie artificielle. Mais la ville est restée marquée par la présence des ouvriers de la soie, les « canuts », dans le quartier de la Croix-Rousse, qui a conservé son aspect historique avec ses passages couverts (les traboules) ; et le musée des tissus abrite des collections uniques en Europe.

Lyon est aussi une grande cité moderne, avec plusieurs universités, un port fluvial sur le Rhône parmi les plus actifs. Au sud de la ville, s'étend un « couloir industriel », animé par un immense complexe pétrochimique (Feyzin).

Sur la rive droite du Rhône se succèdent des paysages variés du Massif central : le Forez, au nord, avec ses montagnes verdoyantes

▲ *Le Vieux Lyon, un remarquable ensemble Renaissance.*

et la riche plaine agricole autour de Roanne, grand centre d'industrie textile, où l'on fabrique aussi pour l'armée le char Leclerc. Le Beaujolais est un ensemble de collines couvertes d'un vignoble qui donne un vin mondialement connu ; le bassin de Saint-Etienne – dont l'agglomération groupe 450 000 habitants – s'est développé autour des mines de charbon, donnant naissance à une industrie métallurgique, avec, dès 1746, une manufacture d'armes. C'est à Saint-Étienne qu'a été mis en service, en 1827, le premier chemin de fer, sur vingt et un kilomètres. De nos jours, l'industrie s'est diversifiée (mécanique de précision, électronique) et l'université qui s'est créée à fait naître des centres de recherche. La ville est aussi connue par son Ecole d'ingénieurs… et son équipe de football.

Le Vivarais

Le Vivarais, enfin, est un pays plus sauvage, de montagnes moyennes traversées par des rivières pittoresques (gorges du Chassezac et de l'Ardèche), qui attirent les « canoéistes » de toute l'Europe. C'était autrefois une grande région d'élevage du ver à soie.

▲ *Les vendanges en Beaujolais.*

▲ *Lyon, la cathédrale Saint-Jean et la basilique de Fourvière.*

▲ *Le Guignol.*

lumière, et, tout le long de l'année on peut assister aux spectacles de « Guignol », une marionnette qui représente l'esprit satirique des Lyonnais. Lyon possède un opéra et dans de nombreuses villes ont lieu des rencontres musicales : musique classique à Besançon ou Evian, jazz à Vienne.

La gastronomie dépend naturellement des produits locaux, naturels : charcuterie à Lyon, volailles de la Bresse, fromages dans le Jura, noix et pommes de terre en Dauphiné, où est né le gratin dauphinois.

Comme dans la plupart des régions de France, les vins régionaux accompagnent la cuisine : vin d'Arbois dans le Jura, vins de Savoie, des Côtes du Rhône et du Beaujolais,

Les fêtes du Jura et des Alpes sont celles de tous les pays de montagne, et suivent le rythme des saisons : fêtes des guides à Chamonix, fête du raisin à Arbois, fête du lac à Annecy, fêtes nautiques sur le Rhône – Lyon célèbre le 8 décembre la fête de la

▲ *Produits du terroir.*

Le gratin dauphinois

Certains disent que le mot « gratin » vient du nom latin de Grenoble, « Gratianopolis ». Quelle que soit son origine, c'est un plat de pays pauvre, à base de pommes de terre et de lait, dont il existe de nombreuses variantes. Une recette simple : couper les pommes de terre épluchées en fines rondelles. Les faire cuire doucement au four dans du lait ou de la crème légère — pendant 45 minutes à une heure – dans un plat frotté d'ail, avec sel, poivre, noix de muscade, et des noisettes de beurre sur le dessus.

célèbre à Lyon (on dit que la ville est arrosée par trois fleuves, le Rhône, la Saône et le Beaujolais...) et dans le monde entier grâce à une publicité exceptionnelle.

Art – Monuments

L'époque préhistorique a laissé, dans l'Ardèche, une magnifique grotte ornée, la « grotte Chauvet », la plus ancienne de toutes les grottes de ce genre (30 000 ans). L'époque gallo-romaine est surtout présente par ses monuments à Vienne, avec un théâtre, un temple, et la cité portuaire de Saint-Romain-en-Gal, et à Lyon avec deux théâtres, dont l'un était le plus grand de la Gaule ; le musée de la civilisation gallo-romaine y présente une très riche collection de statues, de tombeaux et d'objets variés.

Du Moyen Âge restent de nombreux châteaux forts, la plupart en ruine, quelques-uns reconstruits (Annecy, Chambéry) et des ensembles urbains comme la cité de Pérouges – Les églises romanes sont nombreuses, en Savoie, en Dauphiné, dans la Drôme ou en Ardèche, souvent dans la campagne, et, plus grandes, dans les villes : à Grenoble, Saint-Laurent, l'une des plus anciennes de France, à Lyon (Ainay), à Vienne, à Tournus (Saint-Philibert avec une magnifique nef du XIIᵉ siècle). Toutes les

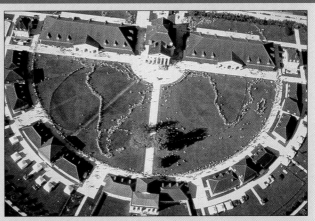

▲ *Franche-Comté, Arc-et-Senans, cité idéale.*

formes du gothique se rencontrent (Vienne, Lyon, Grenoble, abbaye de Saint-Antoine) ; l'une des plus belles églises, dont le style est gothique tardif – ou flamboyant – est celle de Brou, à Bourg-en-Bresse où se trouvent les tombeaux magnifiquement sculptés des ducs et duchesses de Bourgogne. L'architecture Renaissance et classique est visible dans les vieux quartiers et à l'Hôtel-Dieu (hôpital) de Lyon, à Besançon (palais Granvelle), dans la ville idéale d'Arc-et-Senans (inscrite au Patrimoine mondial), où devaient vivre les ouvriers d'une « saline », au château de Grignan, où vécut Mme Sévigné. L'art baroque, très rare en France, est présent par les décorations des

petites églises de campagne en Savoie. Deux exemples de l'art architectural du XIXᵉ siècle sont l'abbaye de Hautecombe, en Savoie, et la basilique de Fourvière, qui domine Lyon, dans un curieux style byzantin, tandis que l'art moderne a inspiré des stations de ski (Avoriaz) ou la gare du TGV de Lyon-Satolas.

▲ *Église de Brou (Ain).*

Parlé, écrit...

Il n'y a pas de langue propre aux régions du centre-est où l'on utilise de plus en plus rarement les langues locales, les « patois », dérivés du franco-provençal et différents d'une région à l'autre. Lyon fut, au XVIe siècle, le centre d'une école poétique où se distingue Louise Labé, la « belle cordière ». Besançon, où est né Victor Hugo, est la patrie de Charles Nodier, auteur de contes fantastiques à l'époque romantique. Voltaire a rendu célèbre le village de Ferney et Rousseau, genevois d'origine, Chambéry ; Grenoble a vu naître Stendhal qui raconte son enfance et son adolescence dans son autobiographie *Vie de Henry Brulard*. Le Jura a donné un des plus grands peintres réalistes, Gustave Courbet ; dans le Dauphiné, ont vécu le compositeur romantique Berlioz, et, plus près de nous, l'écrivain Paul Claudel.

Parmi les hommes célèbres à d'autres titre, il faut citer les Grenoblois Vaucanson, inventeur d'automates au XVIIIe siècle, le physicien lyonnais Ampère, Montgolfier, qui réussit les premières ascensions en ballon à la fin du XVIIIe siècle, ou encore Thimonnier, inventeur de la machine à coudre. C'est à Lyon que fut réalisé en 1895 le premier film du « cinématographe », « la sortie des usines Lumière ».

La vallée de l'Isère vue par Stendhal

Tout à coup se découvre à vos yeux un immense paysage, comparable aux plus riches de Titien. L'Isère, fort large, arrose la plaine la plus fertile, la mieux cultivée, la mieux plantée, et de la plus riche verdure. Au dessus de cette plaine, la plus magnifique peut-être dont la France puisse se vanter, c'est la chaîne des Alpes, et des pics de granit se dessinant en rouge noir sur des neiges éternelles qui n'ont pu tenir sur leurs parois trop rapides.

(*Mémoires d'un touriste*)

Exercices

17

1. Qu'est-ce qu'une traboule ?

2. Pourquoi Lyon est-elle appelée la capitale des Gaules ?

3. Qui était Blandine et pourquoi est-elle entrée dans les livres d'histoire ?

4. Qu'est-ce que la Houille blanche ?

5. Que doit-on aux frères Lumière ?

6. Dans quelle ville est né Stendhal ?

7. Qu'est-ce que la journée des Tuiles ?

8. Nommez les deux rivières qui traversent Lyon

9. Citez les deux villes de la région qui ont accueilli les jeux olympiques d'hiver ?

10. Quelle curiosité naturelle peut-on apercevoir lorsque l'on visite les gorges de l'Ardèche ?

18

Deux de ces villes ne sont pas des stations de ski :
- Val-Thorens
- Val d'Isère
- Courchevel
- Évian
- Tignes
- Besançon

19

Parmi ces vins d'appellation contrôlée (AOC), deux ne font pas partie des vins du Beaujolais
- Saint-Amour
- Chiroubles
- Saint-Émilion
- Moulin-à-vent
- Morgon
- Châteuneuf-du-Pape

20

A. Quel matériel n'est pas utilisé par un alpiniste ?
- une corde
- un piolet
- des crampons
- un mousqueton
- un harpon
- un sac à dos
- une petite bouteille de cognac

B. Lesquels de ces sports ne sont pas des sports de neige ou de glace ?
- le surf
- le ski de piste
- les raquettes
- le ski de fond
- la randonnée équestre
- le patinage de vitesse
- le parachutisme

C. Quelles spécialités culinaires ne sont pas associées au bon terroir ?
- volailles de Bresse
- noix de Lyon
- gratin de pommes de terre du Dauphiné

▲ *Le mont Aiguille. Le « mont inaccessible », qui fut gravi dès le XVᵉ siècle...*

- vins de Savoie
- charcuterie de Grenoble

21

Quel nom n'a aucun lien avec l'hydro-électricité ?
- un barrage ou retenue d'eau
- un réacteur nucléaire
- une turbine
- une chute d'eau
- EDF

22

Et dans votre pays ?

1. Existe-t-il des montagnes enneigées ?

2. Pratiquez-vous un sport de glisse ? Si oui, lequel ?

3. Quel type de stations de sports d'hiver préférez-vous : les stations-villages, les stations d'altitude, les « usines à ski » ?

▲ *Chamrousse (Isère) où eurent lieu les Jeux olympiques d'hiver en 1968.*

▲ *Annecy (Haute-Savoie).*

La France des régions

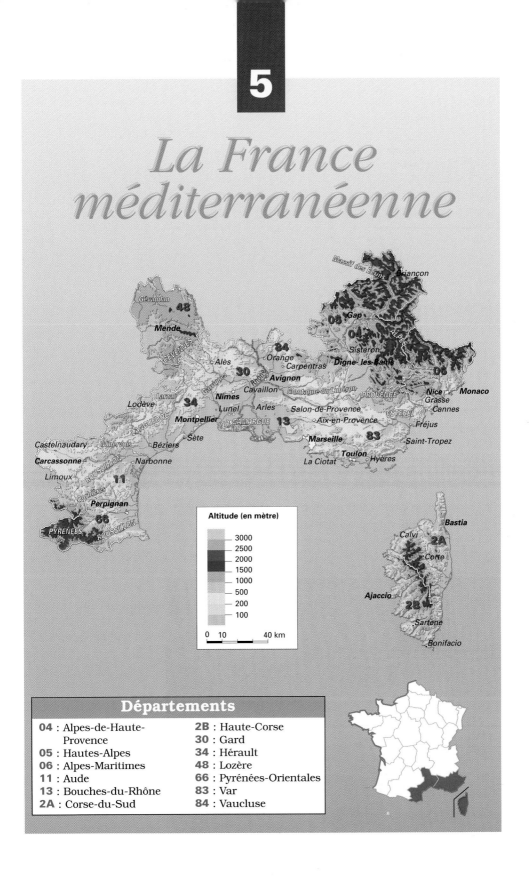

5

La France
méditerranéenne

Altitude (en mètre)

- 3000
- 2500
- 2000
- 1500
- 1000
- 500
- 200
- 100

0 10   40 km

Départements

04 : Alpes-de-Haute-
      Provence
05 : Hautes-Alpes
06 : Alpes-Maritimes
11 : Aude
13 : Bouches-du-Rhône
2A : Corse-du-Sud

2B : Haute-Corse
30 : Gard
34 : Hérault
48 : Lozère
66 : Pyrénées-Orientales
83 : Var
84 : Vaucluse

● Identité

Trois régions sont baignées par la Méditerranée : l'île de Corse, à 160 kilomètres au sud des côtes, Provence-Alpes-Côte-d'Azur, à l'est, Languedoc-Roussillon à l'ouest.

En chiffres :

- Provence-Alpes-Côte-d'Azur : capitale : Marseille – 4,5 millions d'habitants – six départements.

- Languedoc-Roussillon : Capitale régionale : Montpellier – 2,3 millions d'habitants – cinq départements.

- Corse : Capitale régionale : Ajaccio – 256 000 habitants (la moins peuplée de France) – deux départements : Corse du Sud, Haute-Corse.

▲ Image

L es pays de la Méditerranée – ou Sud de la France, familièrement « le Midi » – sont pour beaucoup le symbole d'une vie au soleil, des vacances, de la mer. Les Français du Nord – et les étrangers – en rêvent comme d'un paradis. Tous les étés, les autoroutes qui y conduisent (l'A6, « autoroute du Soleil ») connaissent bouchons et ralentissements. Des centaines de trains (TGV) supplémentaires sont mis en service, remplaçant le légendaire « Train bleu », Paris-Lyon-Marseille-Côte d'Azur.

Cette opposition entre Nord et Midi est aussi sensible sur le plan économique et culturel : la France romane au Sud, la France gothique au Nord, pays de langue d'oc/pays de langue d'oil.

Le mythe d'un Midi voué aux vacances n'est cependant plus tout à fait vrai : les pays de la Méditerranée n'attirent plus seulement retraités et vacanciers, mais aussi une population active et dynamique, soucieuse de concilier le travail et un cadre de vie agréable : le meilleur exemple en est sans doute le complexe scientifique de Sophia-Antipolis, sur la Côte d'Azur, qu'on qualifie volontiers de « Silicon Valley » française.

◀ *La côte d'azur.*

Histoire

Les pays de la Méditerranée ont été peuplés très tôt grâce à leur climat favorable, comme en témoignent les gisements préhistoriques de Tautavel, de la grotte Cosquer ou de Menton. Très tôt également (VIᵉ siècle avant J.-C.), le littoral fut colonisé par les Grecs, puis par les Romains. Au Moyen Âge, la Provence fut le centre d'une civilisation originale et brillante, avec sa langue et sa littérature – en particulier avec la poésie des « troubadours ».

Les guerres de religion, au XVIᵉ siècle, puis à la fin du XVIIᵉ siècle, lorsque les protestants furent persécutés, y prirent un caractère très violent. Dans une région qui connut moins les guerres que les provinces du Nord, le développement culturel, de l'époque classique à nos jours, fut important. Le comté de Nice ne fut définitivement rattaché à la France qu'en 1860 (comme la Savoie), et certaines vallées à la frontière italienne (Tende, la Brigue) en 1947.

▲ Les « Bories », habitations primitives des bergers, dans le Vaucluse.

Au-dessus de Nice, les gravures de la vallée ▶ des Merveilles, terrain de chasse préhistorique.

▲ *Briançon, une ville fortifiée.*

Le Midi est un pays de contrastes. Dans la région Provence-Alpes-Côte d'Azur se trouvent la commune la plus haute de France (Saint-Véran, 2 042 mètres), quelques-uns des plus hauts sommets d'Europe (la Barre des Ecrins, 4 103 mètres) et de grandes villes (Marseille, Nice) au niveau de la mer ; la ville la plus froide (Embrun, 9°4 en moyenne annuelle) et la plus chaude (Toulon, 15°3) ; la troisième ville de France (Marseille), le département le moins peuplé (la Lozère avec 72 814 habitants) et la plus petite commune de France (Claudies-de-Conflent, deux habitants).

Les Hautes-Alpes

C'est un paysage clas-sique de montagne : hauts sommets qui, même en plein été, gardent leurs glaciers et leurs névés*, sombres forêts de sapins, torrents tumultueux, alpages où le bétail monte en « trans-humance »* et, l'hiver, un immense domaine laissé aux skieurs. Mais les Hautes-Alpes sont proches de la Méditerra-née, et, plus on va vers le sud, plus on rencontre de mélèzes au feuillage clair.

La proximité de la fron-tière italienne a fait naître une multitude de forts – dont celui de Mont-Dauphin, construit sur les plans du plus célèbre architecte militaire, Vauban – et de villes fortifiées, comme Brian-çon, qui commande la route du Montgenèvre vers l'Italie. Les deux activités essentielles sont l'élevage et le tourisme… Le paysage des Hautes-Alpes est bien connu par les téléspectateurs qui suivent l'ascension de cols célèbres (le Gali-bier…) par les coureurs du Tour de France.

La Haute-Provence et la vallée du Rhône

Entre les hauts sommets des Alpes, à l'est, et la vallée du Rhône, la Haute-Provence est formée d'une succession de plateaux, de 1 500 à 500 mètres d'altitude, traversés de quelques vallées (Durance, Drôme). C'est une région essentiellement agricole, peu peuplée : les petites villes sont de gros marchés. La végétation caractéristique est surtout

▲ *Alpes de Haute Provence.*

▲ *Palais des papes à Avignon.*

l'olivier, la lavande, d'où l'on tire une eau parfumée, et la vigne. C'est une région touristique, avec les gorges du Verdon, où l'on pratique le « canyonning », et les petits villages anciens et pittoresques du Luberon (Gordes).

La vallée du Rhône est la grande voie de circulation – des trains, des bateaux, des camions et des voitures – entre le nord et le sud. Peuplée depuis la période romaine, où se sont développées des villes de commerce (Vienne, Orange), parfois resserrée entre le Massif central et les contreforts des Alpes, c'est une région riche et animée où dominent les cultures maraîchères, les vergers d'arbres fruitiers –

pommiers, cerisiers, abricotiers – et la vigne, qui donne le vin des Côtes du Rhône. C'est là que le mistral, vent du nord qui chasse les nuages, souffle le plus fort. A l'approche de la mer, au sud d'Avignon, la vallée s'élargit pour former le delta du Rhône, région de prairies et de marécages, où l'on cultive le riz. C'est la Camargue, domaine des chevaux et des taureaux, et d'une multitude d'oiseaux, hérons, cigognes, flamants roses. Les « manades » – troupeaux de petits chevaux blancs, d'une race très ancienne – sont sous la surveillance des « gardians », qui ont conservé un costume pittoresque.

▲ *À Cavaillon, capitale du melon.*

La Côte, de Menton à Marseille

Le paysage de la côte méditerranéenne est varié, selon la nature de l'arrière-pays : grandes Alpes à l'est, pré-alpes, massif des Maures et de l'Estérel, plaine de Provence.

▲ *La Baie des Anges à Nice.*

De Menton à Nice, c'est la « Riviera », où la montagne plonge directement dans la mer, donnant une côte rocheuse, très découpée. De Nice à Cannes, la rive s'ouvre plus largement, avec de longues plages, coupées par le cap d'Antibes. La côte de l'Estérel et celle des Maures dessinent une suite de caps et de petites baies (golfe et presqu'île de Saint-Tropez). La côte s'abaisse

▲ *Le Vieux Port à Marseille.*

La plaine côtière est généralement riche (cultures fruitières et maraîchères, vigne). Mais l'industrie n'est pas totalement absente, en particulier la réparation navale et, plus récemment la recherche scientifique s'est implantée dans l'arrière-pays (Sophia-Antipolis, centre mondial d'informatique). Marseille, préfecture de la région, est une ancienne cité fondée par les Grecs au VIe siècle avant J.-C. Dévastée par la peste au début du XVIIIe siècle, elle fut l'un des plus grands ports de France pendant deux siècles : c'est la « Porte de l'Orient ».

autour de Toulon, dont la rade abrite une partie de la marine de guerre française. Enfin, de Toulon à Marseille, le rivage abrite de petits ports et des criques sauvages, les « calanques ». Partout, on rencontre la même végétation, typique des pays méditerranéens : pins maritimes, chênes verts, oliviers, et, à l'intérieur, garrigue ou maquis, toujours menacés par les incendies de l'été.

Les villes sont naturellement des lieux de villégiature, depuis le XIXe siècle, à cause de la douceur du climat. Les Anglais ont contribué à la réputation de Monte-Carlo (Monaco), de Nice (avec sa célèbre « promenade des Anglais ») ou de Cannes. Le tourisme est la principale activité, marquée par les fêtes du carnaval (Menton - Nice), le jeu (Monaco), le

nautisme (ports d'Antibes et de Cannes), favorisé par la présence de nombreuses îles proches de la côte (îles de Lérins, îles d'Hyères).

▲ *Un petit port de la Côte d'Azur.*

La principauté de Monaco

C'est un état indépendant enclavé dans le département des Alpes-Maritimes, formé par une étroite bande côtière d'1,5 km^2, et dirigé par un prince (Rainier III, en 2001). La principauté vit du tourisme, de l'émission de timbres-poste et des revenus du célèbre casino de Monte-Carlo.

▲ *Nîmes.*

Elle voit encore plus d'un million de passagers transiter par la gare maritime, et traite 50 % de la réparation navale nationale. Avec son agglomération, elle dispute à Lyon le rang de deuxième ville de France (1 000 000 habitants).

Toulon (200 000 habitants) est, après Brest, le second port militaire du pays.

La côte du Languedoc-Roussillon

Tout différent de celui de la Côte d'Azur, c'est un littoral généralement plat, bordé d'étangs, où se succèdent des plages à la mode, très fréquentées l'été (La Grande-Motte) mais manquant de pittoresque, et offrant souvent à l'œil un mur de béton sans grâce. Mais en arrière de la côte se succèdent des villes – petites ou grandes – au caractère bien marqué.

Nîmes, ancienne cité gallo-romaine, vit s'affronter protestants et catholiques au XVIe siècle. En dehors de ses monuments, elle est connue par son industrie textile (la toile « bleue de Gênes de Nîmes » étant devenue « blue jeans… Denim »), et par ses courses de taureaux.

Montpellier, préfecture de la région, est une grande ville universitaire (Rabelais y fréquenta son école de médecine au XVIe siècle) et commerçante (Foire aux vins).

Béziers et Narbonne (l'ancienne capitale de la province romaine de la Gaule Narbonnaise) sont de grosses villes animées par le commerce du vin et des produits agricoles. En se dirigeant vers l'Espagne, le long de la côte sud du golfe du Lion, on traverse le Roussillon, plaine fertile entre les Pyrénées et la mer, parfois battue par la tramontane, vent froid et sec analogue au mistral ; la capitale en est Perpignan, où régnaient autrefois les rois de Majorque, et qui fut, après Barcelone, la seconde ville de la Catalogne, cédée à la France en 1659. La côte catalane, très découpée, abrite de pittoresques petits ports (Collioure, connu pour ses conserveries d'anchois) et, par la couleur de la terre rouge, mérite le nom de « côte vermeille »* (Banyuls, célèbre par son vin).

▲ *La gare de Perpignan : le centre du monde selon Salvador Dali.*

▲ *Porto-Vecchio, Corse.*

La Corse

L'île de Corse (8 681 km^2), 260 000 habitants, est la moins peuplée des régions françaises. Elle a 183 km de long sur 50 à 85 km de large. C'est une île essentiellement montagneuse (Monte Cinto, 2 710 m – 8 sommets de plus de 2 000 m). La côte (1 047 km) est une succession de promontoires et de golfes (ceux de Girolata et de Porto ainsi que la presqu'île de Scandola sont classés au Patrimoine mondial), et 300 km de plages. La Corse, autrefois administrée par la république de Gênes, est française depuis 1768. L'économie est essentiellement agricole (vin, élevage) et surtout touristique. Les villes les plus importantes sont Ajaccio (préfecture de région, chef-lieu du département de Corse-du-Sud, 60 000 habitants et ville natale de Napoléon Bonaparte), Bastia (chef-lieu de Haute-Corse, 39 000 habitants) et Corte (6 000 habitants, siège de l'université). « L'île de Beauté », qui offre les plus fascinants paysages de la Méditerranée a une place à part en France, par son identité culturelle et linguistique et les revendications nationalistes qui conduisent souvent à des actions violentes.

▲ *Le charme des plages isolées.*

▲ *Chênes-lièges en Corse.*

Art de vivre

▲ *Faïences de Moustiers-Sainte-Marie.*

Parmi les fêtes les plus célèbres, le carnaval de Nice, les « corsos » fleuris, les fêtes du citron (Menton) ou des fleurs attirent beaucoup d'étrangers. Plus originaux sont les Noëls de Provence, qui sont de véritables spectacles, comme la messe de minuit au village des Baux, avec des crèches* parlantes ou vivantes, ou celles qui réunissent les petits personnages typiques, les santons (petits saints) de l'artisanat provençal. À Nîmes, à Arles, à Saint-Rémy ont lieu des « férias » tauromachiques*, et en Camargue les « ferrades » (marquage des taureaux). Les fêtes locales sont l'occasion de voir danser la farandole (Provence) ou la sardane (Roussillon) et d'apercevoir les costumes traditionnels (Arles).

Tout le midi méditerranéen est riche en festivals (musique de chambre à Menton, théâtre à Avignon, opéra à Aix, chorégies d'Orange, photographie à Arles, festival Pablo Casals à Prades, « Médiévales » de Carcassonne).

Plus simples – mais aussi pittoresques et colorés – sont les marchés qui se tiennent chaques semaine dans les principales villes : on y trouve les produits du pays (melons de Cavaillon, aubergines, tomates, olives vertes et noires et les herbes aromatiques) et, partout, sur les places ombragées de platanes, se pratique le jeu de boules ou « pétanque ». La gastronomie méridionale est en étroite liaison avec les productions locales : mais nulle part on ne peut oublier qu'on est dans la civilisation de l'olive et du vin. Un proverbe provençal assure que « le poisson vit dans l'eau et meurt dans l'huile » ; c'est le cas de la célèbre bouillabaisse ou de sa variante la bourride (soupe de poissons) accompagnée d'aïoli (mayonnaise à l'ail).

Ailleurs, on aura la brandade* de morue de Nîmes, le bœuf camarguais, les huîtres des étangs languedociens, les anchois de Collioure. Les plats sont parfumés aux herbes de Provence (thym, romarin). Le vin est partout présent : vin du Var, côtes de Provence, vin du Languedoc, du Roussillon, des Corbières, avec des crus célèbres comme le Chateauneuf-du-Pape à Avignon ou le Banyuls.

▲ *L'étang de Thau, où s'élèvent des huîtres.*

▲ *Les olives.*

La bouillabaisse

Il y a autant de variétés de bouillabaisse que de restaurants en Provence. C'est, en fait, selon l'étymologie, du « poisson bouilli », avec de l'huile d'olive, des légumes (oignon, tomate, ail) et des épices (safran), qu'on sert sur des tranches de pain. Ce simple plat de pêcheur peut aussi être un chef-d'œuvre gastronomique selon les poissons et les crustacés employés (homard, langouste...). Il est accompagné de la « rouille », sauce aux piments.

Art – Monuments

▲ *Monument funéraire à Saint-Rémy-de-Provence.*

La France de la Méditerranée est probablement la région la plus riche en monuments anciens.

Avant même la période romaine, on trouve des témoignages de peuplement très reculé. A Tautavel, le centre européen de la Préhistoire près de Perpignan, présente les connaissances sur le premier « Homo erectus » (– 400 000 ans avant J.-C.) et, très récemment, on a découvert une des plus belles grottes ornées de peintures (grotte Cosquer).

On ne peut énumérer tous les monuments romains de la région ; ponts (le Pont du Gard, aqueduc colossal de 250 m de long et de 49 m de haut), cités entières (Glanum, Vaison-la-Romaine), monuments funéraires à Saint-Rémy, temples (Maison Carrée à Nîmes), théâtres (Arles, Orange, Vaison).

Au Moyen Âge, c'est l'architecture romane qui domine dans l'art religieux (églises et cloîtres, à Arles, Sénanque, Fontfroide).

Au Moyen Âge, ce sont aussi les châteaux forts qui mettent leur marque

▲ *Vaison-la-Romaine.*

▲ *Le pont du Gard.*

▲ *Le château Comtal à Carcassonne.*

sur le paysage. A l'est le plus célèbre est celui des Baux-de-Provence, à l'ouest et les châteaux où se réfugiaient au XIIᵉ siècle les hérétiques* cathares. Ce sont aussi des cités fortifiées :

Avignon, Aigues-Mortes et surtout celle de Carcassonne (classée au Patrimoine mondial).

De la Renaissance au XVIIIᵉ siècle, l'architecture civile se distingue par son élégance (à Aix-en-Provence, à Montpellier).

L'architecture moderne est présente à Marseille (Cité Le Corbusier), à la Grande-Motte avec ses pyramides, à Montpellier.

Le midi méditerranéen a toujours attiré les peintres (Fragonard est né à Grasse) et nombreux sont ceux dont le nom est attaché à une ville : Renoir à Cagnes, Nicolas de Staël à Antibes, Picasso à Vallauris, Vasarely à Gordes, Matisse à Vence, les « fauvistes » et post-impressionnistes à Saint-Tropez, Van Gogh à Arles,

Cézanne à Aix-en-Provence, Fernand Léger à Biot…).

▲ *Le château cathare de Peyrepertuse en Roussillon, une forteresse imprenable*

Parlé, écrit...

▲ *Le festival d'Avignon.*

Dans toute la région méditerranéenne, on parle français avec « l'acent du midi », un accent chantant, qui varie d'est en ouest avec la proximité de l'Italie ou de l'Espagne. Au XIe siècle, on parlait l'occitan, langue d'origine latine, qui devient la langue administrative, mais aussi littéraire grâce aux troubadours*, maîtres de la chanson d'amour, des poèmes « courtois ». On dit que Dante a failli écrire la *Divine Comédie* en occitan ; Pétrarque (1304-1374) a vécu en Provence, consacrant son *Canzoniere* à la belle Laure de Noves. En 1539, le français du Nord (langue d'oil) devint la langue officielle du royaume. L'occitan connut une renaissance au XIXe siècle avec les « Félibres » et surtout Frédéric Mistral (prix Nobel en 1904). L'occitan est enseigné jusqu'à l'université.

Nombreux sont les écrivains (poètes et romanciers) originaires du midi méditerranéen, ou qui ont su le chanter : Maupassant, Zola, Mérimée (la Corse), René Char, Paul Valéry, Marcel Pagnol, Jean Giono. Tous les Français connaissent « Les marchés de provence » de Gilbert Bécaud, « La mer » de Charles Trénet ou les chansons de Tino Rossi.

▲ *Des toits de Provence, qui rapellent « Le hussard sur le toit » de Giono.*

Un village Corse

Le bourg de Pietranera est très irrégulièrement bâti, comme tous les villages de la Corse. Les maisons, dispersées au hasard et sans le moindre alignement, occupent le sommet d'un petit plateau, ou plutôt d'un palier de la montagne. Vers le milieu du bourg, s'élève un grand chêne vert, et auprès on voit une auge en granit, où un tuyau de bois apporte l'eau d'une source voisine (...) Autour du chêne vert et de la fontaine, il y a un espace vide qu'on appelle la place, et où les oisifs se rassemblent le soir. Quelquefois on y joue aux cartes, et, une fois l'an, dans le carnaval, on y danse.

Mérimée, *Colomba*

Exercices

23

1. Que signifie PACA ?

2. Citez quatre villes importantes de cette région

3. Beaucoup de « pieds-noirs » (Français d'Algérie) se sont installés sur les côtes de la Méditerranée après l'indépendance de l'Algérie en 1963. Pourquoi ?

4. Dans quelle ville du Sud se déroule chaque année un célèbre festival international de cinéma ?

5. Qu'est-ce que la Camargue ?

6. Qu'appelle-t-on le Rocher ?

7. Quelle actrice de cinéma a rendu célèbre Saint-Tropez ?

8. Qu'est-ce qu'un santon de Provence ?

9. Qui sont César, Marius et Fanny ?

10. Quelle est la ville des parfumeurs ?

24 **VRAI OU FAUX ?**

1. La commune la plus haute de France se trouve au sud-est de la France

2. L'expression « Côtes du Rhône » est le nom générique de l'ensemble des vins de la vallée du Rhône

3. « Oui » se disait « oïl » autrefois dans le sud de la France

4. Les « calanques » sont des mollusques de la Méditerranée qui ont la particularité de jeter de l'encre lorsqu'ils se sentent menacés.

5. Marseille a été fondée par les Romains

6. Le Pont du Gard a été construit au Ier siècle avant Jésus-Christ

7. La Corse est la région la plus peuplée de France

8. Quel animal sauvage est chassé en Corse, véritable tradition ancestrale ?

9. Un « cathare » est une forme de rhume

10. La ville d'Albi est célèbre a plus d'un titre

25

À l'aide des mots suivants, écrivez un texte sur la Corse.

- Île de Beauté
- plages de sable fin
- Napoléon
- golfe
- paysages sauvages
- Prosper Mérimée
- Ajaccio
- Colomba
- autonomie politique
- tourisme
- maquis*
- continent
- bateau

▲ *Les arènes de Nîmes.*

Exercices

26

Aux villes suivantes sont associés des monuments romains, lesquels ?
- Nîmes
- Arles
- Orange
- Saint-Rémy-de-Provence

27

Dans quels autres pays d'Europe existe-t-il aussi des monuments romains ?

28 ET DANS VOTRE PAYS

1. Existe-t-il une opposition Nord-Sud ?

2. Les gens du Sud sont-ils considérés comme plus exubérants, plus chaleureux que ceux du Nord ?

3. Quelles sont pour vous les températures estivales idéales ?

4. Existe-t-il aussi des monuments antiques, Lesquels ?

▲ *Un champ de lavande.*

Le Sud-Ouest

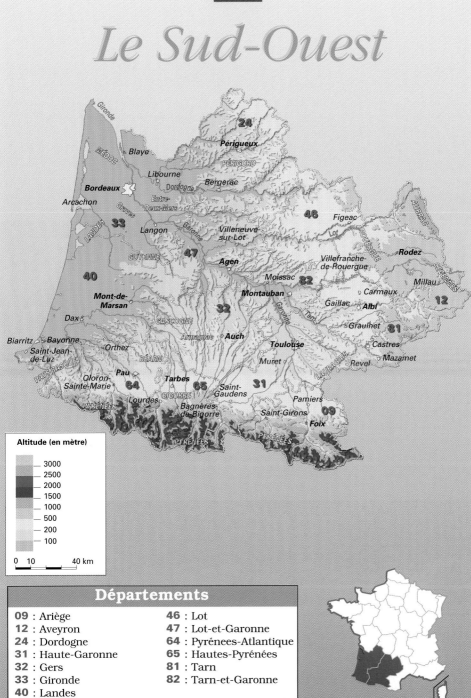

Altitude (en mètre)

— 3000
— 2500
— 2000
— 1500
— 1000
— 500
— 200
— 100

0 10   40 km

Départements

09 : Ariège
12 : Aveyron
24 : Dordogne
31 : Haute-Garonne
32 : Gers
33 : Gironde
40 : Landes
46 : Lot
47 : Lot-et-Garonne
64 : Pyrénées-Atlantique
65 : Hautes-Pyrénées
81 : Tarn
82 : Tarn-et-Garonne

● Identité

Le Sud-Ouest correspond à deux régions : l'Aquitaine et Midi-Pyrénées, autour de la vallée de la Garonne ; au sud, les Pyrénées forment la frontière avec l'Espagne.

– Midi-Pyrénées (capitale de région Toulouse) regroupe huit départements et 2,5 millions d'habitants. En dehors de la vallée de la Garonne, c'est une région de montagnes (3 298 m au Vignemale) de coteaux et de collines, s'abaissant vers le nord-ouest et la côte de l'Atlantique.

– L'Aquitaine (2,9 millions d'habitants) a pour capitale Bordeaux et regroupe cinq départements. Son climat est généralement chaud et humide.

▲ Image

La première image qu'on ait du Sud-Ouest est celle d'une région où il fait bon vivre, dans un climat doux, où des campagnes riches donnent en abondance des produits célèbres dans la gastronomie, du foie gras des Landes aux grands vins de Bordeaux. D'autres images viennent de l'histoire : grottes préhistoriques de Dordogne, châteaux et villages fortifiés autrefois construits par les Anglais, château de Pau où est né l'un des rois les plus populaires, Henri IV. Mais on pense aussi au passage du Tour de France, au rugby, au béret* basque, et aux usines aéronautiques où se construit l'Airbus.

▲ *Les Landes, le pays du surf.*

▲ *Luchon, la vallée du Lys.*

Histoire

Les régions du Sud-Ouest furent peuplées par les Ligures et les Ibères, qui, venus d'Afrique, s'étaient installés en Espagne au VIIe siècle avant J.-C. Le pays fut le théâtre de luttes contre différents envahisseurs : Vandales, Wisigoths et Sarrasins. Le massacre de l'arrière-garde de Charlemagne au col de Roncevaux est entré dans la légende et la littérature avec la mort de Roland. Au XIIe siècle se développe l'hérésie* cathare. Au Moyen Âge, l'Aquitaine est une possession anglaise, disputée par les rois de France du XIIe siècle à la fin du XVe siècle. Le Béarn ne fut réuni à la France qu'en 1620, tandis que le Roussillon dépendit longtemps des rois de Majorque. C'est à Saint-Jean-de-Luz, en 1660, que le roi Louis XIV épousa l'infante Marie-Thérèse d'Espagne.

▲ *Rocamadour, lieu de pèlerinage, dans le Quercy.*

La petite église romane de Valcabrière, ▶
au pied des Pyrénées.

▲ *Lourdes.*

La chaîne des Pyrénées

Elle s'étend sur 350 km, de la Méditerranée à l'océan Atlantique. Son altitude moyenne est inférieure à celle des Alpes ; les vallées sont plus étroites et les cols qui permettent de passer en Espagne sont assez peu nombreux, surtout dans les Pyrénées centrales. Parmi les sites les plus pittoresques, on peut retenir le Pic du Midi de Bigorre, avec son observatoire astronomique, le Cirque* de Gavarnie, où le gave* de Pau prend sa source dans un impressionnant amphithéâtre de montagnes, des stations thermales (Luchon, Cauterets, Bagnères-de-Bigorre). Pau, la plus importante ville des Pyrénées, – et l'une des plus belles – et Lourdes.

En dehors du tourisme d'hiver et d'été, la vie économique se partage entre l'agriculture de montagne, une faible activité industrielle (métallurgie en Ariège et exploitation du gaz naturel à Lacq).

Le Pays Basque

Ce sont trois « provinces » (Soule – Basse Navarre – Labourd) que l'on appelle aussi Euzkadi Nord ; liées aux autre provinces basques espagnoles par une langue et une culture communes et une ancienne origine ethnique (8 000 ans avant J.-C.) avec prédominance du groupe sanguin O^-.

C'est un pays de montagnes moyennes et de collines, les villages et l'architecture des maisons se reconnaissent à leur aspect ordonné et uniforme, aux murs blancs avec des poutres rouges. Dans la montagne, on rencontre des troupeaux à demi-sauvages de « potocks », petits chevaux proches de ceux qui sont représentés dans les grottes préhistoriques. Sur la côte, les stations balnéaires* se succèdent (Biarritz, St Jean-de-Luz) au sud de Bayonne

▲ *Les petits chevaux basques, les potocks, déjà représentés dans les grottes de la préhistoire.*

La grotte miraculeuse

En 1858, une Dame apparaît à une fillette de 14 ans, Bernadette Soubirous, et lui parle. L'Église reconnaît les apparitions de la Sainte-Vierge en 1862. Depuis, les pèlerins se pressent à Lourdes dans l'espoir d'une guérison miraculeuse. C'est – avec Fatima, au Portugal, – le plus important lieu de pèlerinage du monde (5 000 000 de visiteurs en 1996 : 600 trains spéciaux, 6 000 avions, 12 000 cars…).

▲ *L'entrée de la grotte.*

(40 000 habitants), la ville la plus importante. Le Pays Basque se signale par une agitation politique et des tendances autonomistes*, qui correspondent à celles du Pays Basque espagnol.

La côte atlantique

De la côte basque jusqu'à l'estuaire* de la Gironde (où se rejoignent la Garonne et la Dordogne), le rivage de l'océan est bordé par une suite d'étangs, interrompue par le bassin* d'Arcachon qui forme comme une petite mer intérieure. Le paysage caractéristique des Landes et de la Côte d'Argent est celui des dunes de sable et des vastes forêts de pins plantées au XIXe siècle, que menacent les incendies. L'économie de la région est dominée par l'agriculture, la sylviculture (le bois), la pêche et les produits de la mer (ostréiculture ou culture des huîtres, en particulier, sur le bassin d'Arcachon). Dans la région bordelaise, c'est la vigne qui domine : la Gironde, département le plus étendu de France, avec 10 000 « châteaux » (propriétés) produit 600 millions de bouteilles par an.

Bordeaux : (210 000 habitants) est une grande ville de commerce, avec un port dont les installations couvrent, le long de la Gironde, une centaine de kilomètres, c'est aussi une ville universitaire, et un

▲ *Les Landes.*

Le vin de Bordeaux

À Bordeaux, on dit « il y a le vin, et il y a le Bordeaux ». Encore une anecdote (devinette) « Quelle différence y a-t-il, dans le Bordelais entre un producteur de vin pauvre et un producteur riche ?... Le pauvre lave sa Rolls-Royce lui-même… ». Le vin de Bordeaux est l'un des vins les plus anciens et les plus célèbres du monde ; certaines bouteilles de dix à vingt ans d'âge, se vendent à prix d'or (1 000 F ou plus…) une grande partie de la production est vendue en Grande-Bretagne, les Anglais ayant autrefois possédé l'Aquitaine.

▲ *Fources, village typique du Sud-Ouest.*

Cordes, « causses* » du Quercy, semi-désertiques, avec des vallées encaissées (Lot) et des grottes (gouffre de Padirac), dont quelques-unes ornées de gravures ou de peintures préhistoriques.

Au nord-est de la région, des départements à vocation agricole (Lot-et-Garonne, Dordogne) contribuant à rendre célèbres les spécialités comme les pruneaux d'Agen, les truffes et le foie gras du Périgord. La vallée de la Dordogne, à elle seule, forme une des régions touristiques les plus riches de France (grottes préhistoriques des Eyzies et de Lascaux), avec ses châteaux, ses villes et ses villages pittoresques (Sarlat).

centre important pour le traitement du pétrole (raffineries et pétrochimie).

La région toulousaine

Toulouse la « Ville rose » (358 000 habitants) est au bord de la Garonne, le centre d'une riche région agricole (Gers, Tarn et Garonne) et touristique. A côté de l'industrie agro-alimentaire se sont développées une industrie aéronautique et des industries liées à la recherche scientifique ; Toulouse a une des plus importantes universités de France. Les paysages sont variés : collines du Gers avec leurs vignes et leurs troupeaux d'oies ; plateaux du Tarn et de l'Aveyron, avec des villes d'art comme Albi ou des villages pittoresques comme Conques ou

◄ *Le pont Valentré à Cahors.*

Art de vivre

▲ *Terrasses de café à Bordeaux.*

La vigne n'est pas réservée à la seule région de Bordeaux : parmi d'autres crus célèbres, il faut citer le Jurançon, près de Pau, et le Sauternes, internationalement connu (Château d'Yquem…).

Si le Sud-Ouest fait aussi partie du « Midi » de la France, la vie est cependant moins exubérante que dans le midi méditerranéen, et la présence des touristes moins pesante. Par exemple, aux grandes « corridas » de Nîmes ou d'Arles, où les taureaux sont mis à mort, répondent les courses de vaches landaises, très spectaculaires mais qui n'ont rien de sanglant.

Des villes ont aussi leur festival (« Mai musical » de Bordeaux, festival du film amateur d'Albi…) et l'on trouve partout, en Gascogne ou au Pays Basque, des fêtes locales animées et colorées.

La gastronomie est, ici comme ailleurs, liée au terroir* en particulier avec l'élevage des oies et des canards, la pêche, les bassins à huîtres. Des plats régionaux sont connus au-delà du Sud-Ouest, comme le cassoulet toulousain (à base de haricots, de porc et de volaille), l'omelette basquaise avec tomates et poivrons (la « piperade ») et les plats qui utilisent la truffe, « le diamant noir », dont la région de Périgueux et le Quercy sont parmi les principaux pays producteurs.

▲ *Les produits du terroir.*

▲ *Les oies, qui donnent le célèbre « foie gras ».*

Le Sud-Ouest n'a rien à envier à la région méditerranéenne pour la variété de ses œuvres d'art.

L'archéologie a fait la réputation de la Dordogne et de la vallée de la Vézère dont les grottes sont inscrites au Patrimoine mondial avec surtout Lascaux, « chapelle Sixtine de la préhistoire ». Mais le département de l'Ariège est aussi riche en témoignages de « l'art des cavernes » (grotte de Niaux).

Les vestiges de l'époque romaine sont plus rares, et ce sont surtout les églises et les châteaux du Moyen Âge qui marquent le plus le paysage : églises

▲ *Le grand théâtre à Bordeaux.*

romanes (St-Bertrand-de-Comminges, cathédrale St-Sernin à Toulouse, la plus vaste d'Europe, Conques, Moissac, Périgueux, église de pèlerinage sur le chemin de St-Jacques-de-Compostelle, d'une grande simplicité), cathédrales gothiques comme celle d'Albi qui est fortifiée, ou celle d'Auch, de Rodez, et une infinité de petites églises romanes dans les plus petits villages.

Les châteaux sont innombrables – forteresse cathare de Montségur, Bonaguil, un des derniers châteaux forts du Moyen Âge, villages fortifiés (Domme)…

L'architecture classique a donné son caractère aux deux grandes villes, Toulouse avec son hôtel de ville, « le Capitole », et Bordeaux avec l'un des

plus beaux théâtres de France, où des intendants, des représentants du roi, ont su, au XVIIe et XVIIIe siècles, définir un véritable urbanisme. Ce sont eux qui ont réalisé le canal latéral à la Garonne, qui relie Bordeaux à Toulouse, et, au-delà, le canal du Midi, qui va jusqu'à la Méditerranée, et qui viennent d'être inscrits au Patrimoine mondial.

Au peintre Henri de Toulouse-Lautrec, la ville d'Albi a consacré un superbe musée, ce qu'a également fait Montauban pour l'un des plus grands peintres du XIXe siècle, Ingres.

▲ *La cathédrale Saint-Sernin, sur la route de Saint-Jacques-de-Compostelle.*

Montségur, un haut lieu cathare

Les cathares étaient des hérétiques au XIIe siècle, qui rejetaient les sacrements, l'autorité du Pape et la hiérarchie de l'Église. Ils furent poursuivis (Croisades des Albigeois) au début du XIIIe siècle. Au château de Montségur, à 1 200 m d'altitude, les 205 résistants furent brûlés. L'hérésie ne disparut qu'au siècle suivant.

◀ *Le « Pog » de Montségur au pied duquel furent brûlés les défenseurs cathares (Ariège).*

Parlé, écrit...

L'accent du Sud-Ouest varie de Bordeaux à Toulouse, d'Albi à Bayonne. Dans toute la région, on entend encore — mais de plus en plus rarement — toutes les variantes de l'occitan, dans des patois qui changent d'une ville ou d'un village à l'autre. Seul le basque est une langue propre, dont l'origine est mystérieuse et qui se rattacherait aux langues caucasiennes...

Dans la chanson populaire, on a chanté les Pyrénées et Toulouse (Claude Nougaro).

Les grands écrivains du Sud-Ouest sont Montaigne (dont le château existe toujours non loin de Bordeaux, avec sa « librairie ») Montesquieu, le père de la science politique moderne (*l'Esprit des lois*), dont l'influence s'est fait sentir sur tous les penseurs qui ont préparé la Révolution de 1789.

Parmi les auteurs modernes, François Mauriac est le romancier qui a le mieux célébré les Landes et la région de Bordeaux.

▲ *À Figeac est exposée une réplique de la « Pierre de Rosette » qui permit à Champollion de déchiffrer les hiéroglyphes.*

Biarritz selon Victor Hugo

Hugo, Biarritz en 1843 « Je ne sache pas d'endroit plus charmant et plus magnifique que Biarritz. Il n'y a pas d'arbres, disent les gens qui critiquent tout, même le bon Dieu dans ce qu'il fait de plus beau. Mais il faut savoir choisir : ou l'océan, ou la forêt. Le vent de mer rase les arbres. Biarritz est un village blanc à toits roux et à contrevents verts posé sur des croupes de gazon et de bruyères, dont il suit les ondulations. On sort du village, on descend la dune, le sable s'écroule sur vos talons et tout à coup on se trouve sur une grève douce et unie au milieu d'un labyrinthe inextricable de rochers, de chambres, d'arcades, de grottes et de cavernes, étrange architecture jetée pêle-mêle au milieu des flots, que le ciel remplit d'azur, de soleil, de lumière et d'ombre, la mer d'écume, le vent de bruit. »

Exercices

29

dies principales soignent-elles encore aujourd'hui ?

1. Quelle chaîne de montagnes forme une frontière naturelle entre la France et l'Espagne ?

2. Au Moyen Âge, vers quel lieu de pèlerinage en Espagne convergeaient de nombreuses routes qui traversaient la France et dont plusieurs sont aujourd'hui devenues des GR (chemins de grande randonnée) marqués d'une balise ?

3. Quelle ville des Pyrénées abrite un sanctuaire où l'on vient en pèlerinage du monde entier ?

4. Qu'est-ce que Gavarnie ? le Tourmalet ? Roncevaux ? Andorre ? la Ville rose ?

5. Quels animaux trouve-t-on à l'état demi-sauvage dans les Pyrénées et dessinés sur les parois des grottes préhistoriques ?

6. Les Romains utilisaient déjà les vertus des eaux pour se soigner. Quelles mala-

▲ *Foix au cœur des Pyrénées.*

Exercices

7. En France il est recommandé de manger des huîtres seulement pendant les « mois en r », Pourquoi ?

8. Pourquoi appelle-t-on les truffes le « diamant noir » ?

9. Une affiche représente un Français à bicyclette sur une petite route de campagne, portant une baguette de pain sous le bras. Que porte-t-il sur la tête ? Qui porte encore cette coiffure ?

10. Par quels sportifs les plages de l'Atlantique dans les Landes sont-elles fréquentées ?

30

Choisissez la ou les bonnes réponses parmi celles qui vous sont proposées.

1. Airbus
  A. petit arbre
  B. avion construit en collaboration avec d'autres pays de l'UE
  C. autobus à propulsion à air

2. Château d'Yquem
  A. nom d'une propriété célèbre produisant un vin de Sauternes (blanc liquoreux) le plus prestigieux
  B. forteresse romane en ruines.

3. Truffe
  A. tête de sanglier (cochon sauvage)
  B. boxe pratiquée à mains nues au Pays Basque
  C. champignon très recherché pour sa saveur subtile
  D. extrémité du museau d'un chien.

4. Jurançon
  A. vin blanc de la région de Pau
  B. un vin du Jura
  C. une injure

▲ *Auch (Gers).*

5. Le Cirque de Gavarnie est une curiosité exceptionnelle
  A. George Sand a dit : « C'est le chaos primitif, c'est l'enfer. »
  B. Victor Hugo a dit : « Noir et hideux sentier. »

31

L'étiquette d'un grand vin du Sud-Ouest porte les indications suivantes :
Château Prieuré-Lichine – grand cru classé – 1996 – Margaux – mis en bouteille au château – S.A. Château Prieuré – Lichine propriétaire à Cantenac Médoc – 12,5 vol. Cette bouteille porte le numéro 249 058 – 75 cl.

1. De quelle région vient ce vin ?

2. L'année ? Est-ce une grande année ?

3. Quel est le nom du Château et celui du propriétaire ?

4. Quel est le degré en alcool ?

5. Est-ce un vin de propriétaire ou un vin qui a été élaboré dans une coopérative ?

6. Quelle est la signification de « grand cru classé » ?

7. Pourquoi la bouteille de Margaux porte-t-elle un numéro ?

32 **ET DANS VOTRE PAYS ?**

1. Votre pays est-il producteur de vin ? Si oui lesquels ?

2. Que représente le vin pour vous ? En buvez-vous ?

3. Votre pays importe ou exporte-t-il des vins, lesquels ?

4. Boit-on dans votre pays plutôt des vins blancs ou des vins rouges ?

▲ *Le canal du Midi.*

Les Pays de l'Ouest

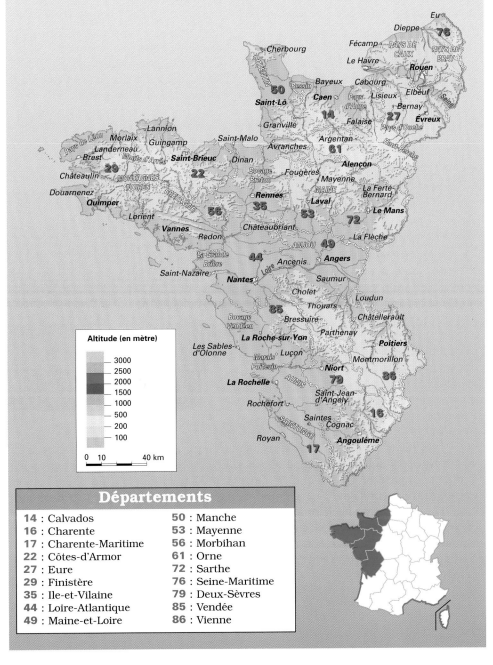

Altitude (en mètre)

- 3000
- 2500
- 2000
- 1500
- 1000
- 500
- 200
- 100

0   10   40 km

Départements

14 : Calvados
16 : Charente
17 : Charente-Maritime
22 : Côtes-d'Armor
27 : Eure
29 : Finistère
35 : Ile-et-Vilaine
44 : Loire-Atlantique
49 : Maine-et-Loire

50 : Manche
53 : Mayenne
56 : Morbihan
61 : Orne
72 : Sarthe
76 : Seine-Maritime
79 : Deux-Sèvres
85 : Vendée
86 : Vienne

● Identité

Ce sont les cinq régions qui, du nord au sud, sont baignées par la Manche et l'océan Atlantique, de l'estuaire de la Seine à celui de la Garonne (Gironde). C'est un ensemble qui représente $1/5^e$ de la surface de la France, et regroupe $1/6^e$ de ses habitants

– La Haute-Normandie (1,77 million d'habitants) groupe deux départements de part et d'autre de la vallée de la Seine (capitale régionale : Rouen)

– La Basse-Normandie (trois départe-ments) a 1,4 million d'habitants, et Caen pour capitale

– La Bretagne, avec quatre départements, a près de 3 millions d'habitants ; sa capitale est Rennes

– Les Pays de la Loire, autour de Nantes, groupent cinq départements avec plus de 3,2 millions d'habitants

– La région Poitou-Charentes (1,6 mil-lion d'habitants), avec Poitiers pour capitale, regroupe quatre départements

▲ Image

L'image de l'Ouest est évi-demment liée fortement à la présence de l'océan et aux grands ports qui ont joué un rôle important dans l'histoire, et qui constituent une ouverture vers l'outre-mer et l'Amérique. Mais le très grand développement des côtes, de celles de Bretagne, rocheuses et pittoresques, ou de celles

▲ *Étretat, l'un des sites les plus célèbres de la côte normande.*

de Normandie et de Vendée avec leurs immenses plages, est propice au tourisme et aux activités nautiques. Une image plus négative est celle de la pluie – comme dans la proche Angleterre –, mais elle est largement compensée par celle d'une nature encore sauvage (Bretagne). Longtemps les pays de l'Ouest souffrirent d'un certain sous-développement, au détriment de Paris, et beaucoup d'images fausses restent encore dans la mémoire collective, avec des Bretons en costume folklorique qui semblent sortir d'une autre époque : Astérix le Gaulois, héros d'une célèbre bande dessinée, a réhabilité les Celtes astucieux, qui ne s'en laissent pas conter par les lourds Romains…

Histoire

Les pays de l'Ouest sont une vieille terre celtique (civilisation armoricaine) depuis le quatrième millénaire avant J.-C. Dans leur histoire mouvementée, on retiendra l'arrêt des invasions arabes à Poitiers (732), puis les invasions des Normands (hommes du Nord, ou Vikings, venus de Scandinavie), au IX\ :superscript:`e` siècle. Au XI\ :superscript:`e` siècle, en 1066, Guillaume le Conquérant envahit l'Angleterre. Pendant plusieurs siècles (XII\ :superscript:`e` et XIII\ :superscript:`e` siècles, première guerre de Cent ans, XIV\ :superscript:`e` et XV\ :superscript:`e` siècles, seconde guerre de Cent ans), l'Ouest fut déchiré par les rivalités entre le royaume de France et celui d'Angleterre : c'est à Rouen que fut brûlée l'héroïne nationale Jeanne d'Arc. La Bretagne ne fut définitivement réunie à la France qu'en 1532.

Après les guerres de religion, au XVI\ :superscript:`e` siècle, l'Ouest connut sous la Révolution la guerre de Vendée et de Bretagne, où s'affrontèrent les « Bleus », républicains, et les « Blancs », partisans du roi, de 1793 à 1800, et qui fit plus de 500 000 morts (on parle encore, parfois, du « génocide vendéen »). La Normandie fut le théâtre du débarquement anglo-américain de juin 1944 (Omaha-Beach), et de très durs combats qui anéantirent certaines villes (Le Havre, Caen).

▲ *Arromanches, ponton du port artificiel construit en juin 1944.*

Abbaye du Bec-Hellouin. ▶

La Normandie

La région présente un visage double : du côté de la terre une campagne paisible, avec ses prairies verdoyantes et ses pommiers ; du côté de la mer ses falaises, ses plages, et l'activité économique de ses ports. Le « bocage* » normand est une contrée fertile, au nord et au sud de la vallée de la Seine ; l'agriculture (céréales, pommes de terre, vergers) et l'élevage en font la richesse : les vaches et le beurre normands sont réputés, comme les lourds chevaux du Perche (les percherons) ou les chevaux de course. Autour des fermes pittoresques à colombage les immenses vergers de pommiers permettent la fabrication du

▲ *Le grand hôtel à Cabourg.*

cidre (boisson légèrement alcoolisée à partir de pommes écrasées et fermentées) et du calvados, eau-de-vie de pomme. Les villes de l'intérieur sont de gros marchés agricoles, autour desquels s'est créée une industrie agro-alimentaire, comme à Saint-Lô ; on trouve encore un artisanat traditionnel (dentelles d'Alençon).

Les deux grandes villes historiques de Normandie sont Caen (113 000 habitants) avec une activité industrielle (électronique, électromécanique) et universitaire, et Rouen (102 000 habitants), également centre universitaire et industriel (pétrochimie, métallurgie, construction navale). L'activité de Rouen, situé sur la basse Seine, est prolongée par celle du Havre (196 000 habitants), le deuxième

port de commerce français – Dieppe est le cinquième port de voyageurs, à destination de l'Angleterre. L'un des attraits de la Normandie est constitué par ses belles plages et ses stations balnéaires : Dieppe, la plus ancienne, Deauville, la plus célèbre, ou Cabourg, illustrée par Marcel Proust.

La Bretagne

La physionomie de la Bretagne est très différente, géographiquement, de celle de la Normandie, car le pays est formé par le massif armoricain, l'un des trois grands massifs primaires (avec le Massif central et les Vosges), et le plus usé par l'érosion (son sommet n'est qu'à 384 m d'altitude). La côte rocheuse est très découpée, et prolongée au large par de nombreuses îles.

▲ *Rouen, rue du Gros-Horloge.*

Les marées y sont de très grande amplitude (jusqu'à 15 m), ce qui a permis la construction sur la Rance de la première usine « marémotrice » au monde (conçue en 1943 et construite de 1961 à 1966, utilisant la force des marées). Les tempêtes violentes y sont fréquentes. A l'intérieur, c'est un paysage de forêts et de landes, presque sans relief. Les maisons bretonnes se distinguent par leur simplicité, et les villes ont souvent gardé intact leur centre historique.

Les activités principales de la Bretagne sont la pêche, l'agriculture et le tourisme, ce qui n'exclut pas l'industrie.

La pêche est pratiquée tout le long des côtes, à Concarneau (troisième port de pêche français), à Lorient, à Douarnenez. On y pratique la pêche côtière pour les poissons nobles

▲ *Parc ostréicole.*

(la sole ou le turbot) et les crustacés (coquilles Saint-Jacques, homards, langoustes), et la pêche hauturière (en haute mer), pour le thon ; la « grande pêche » entraîne les équipages jusqu'à Terre-Neuve, au Labrador, au Groenland pour les campagnes de pêche à la morue. Il faut ajouter la culture des moules et des huîtres.

La Bretagne est aussi une riche région agricole, connue pour la qualité de

ses produits : pommes de terre, choux-fleurs (72 % de la production française), artichauts (67 % de la production française) et l'élevage breton produit 56 % des porcs et près de la moitié de la volaille. De là est née une importante industrie agro-alimentaire avec des conserveries de poisson, de légumes et des charcuteries industrielles.

L'industrie proprement dite se concentre dans les grandes villes, avec des activités de premier plan comme la construction navale : la moitié des navires construits en France l'est en Bretagne. A Lorient et Saint-Malo on construit des bateaux de pêche et les navires de guerre à Lorient et Brest, où se trouvent les deux plus grands arsenaux français. Brest (148 000 habitants) est en outre le premier port militaire du

▲ *Saint-Malo.*

▲ *Dans le marais poitevin.*

pays, le siège de l'Ecole navale et d'une université active, tandis que Rennes, capitale régionale, avec plus de 200 000 habitants est un grand centre universitaire et industriel (usines Citroën). On notera encore une particularité de Saint-Brieuc, ville moyenne de 45 000 habitants, deuxième capitale mondiale de la brosserie (après Nuremberg).

De la Loire à la Gironde

De Nantes, au nord, jusqu'à l'estuaire de la Garonne (la Gironde), s'étendent les côtes de Vendée, du Poitou et de la Charente.

C'est un paysage de basses collines et de bocage, avec des rivières paresseuses ; la Sèvre niortaise forme, sur un ancien golfe marin, le pit-toresque marais poitevin, dans lequel on circule encore en barque. La côte est basse, bordée de très longues plages (Les Sables d'Olonne, Royan). Deux grandes villes forment les deux pôles de la région. Nantes, au nord, avec 245 000 habitants est une ville industrielle et universitaire, prolongée par le port de Saint-Nazaire, sur l'estuaire de la Loire, avec ses chantiers navals qui ont, entre autres, construit les prestigieux paquebots *Normandie* et *France*. A l'est, Poitiers est une ville universitaire et une ville d'art, au cœur d'une riche région agricole ; le « Futuroscope », parc européen de l'image et de ses techniques, attire plus de 3 000 000 de visiteurs par an.

Dans toute la région, les villes pittoresques ne manquent pas, comme Angoulême, Saintes, Royan, et surtout La Rochelle, l'une des plus originales par sa situation et son passé. Au large de la côte, reliées à la terre ferme par des ponts, les îles de Ré et d'Oléron attirent de nombreux touristes.

▲ *La Rochelle.*

Le cognac

L'une des productions les plus célèbres de la région des Charentes est le cognac, eau-de-vie obtenue à partir de vins blancs, vieillie dans des fûts de chêne. 190 millions de bouteilles sont produites par an, en moyenne. Les trois étoiles de l'étiquette ou la mention VS indique un âge d'au moins quatre ans et demi, VSOP de douze à vingt ans. De plus vieux cognacs, conservés en un lieu appelé « Paradis » porteront les noms de Grande Réserve, Napoléon...

◄ Fort-Boyard où se déroule un célèbre jeu télévisé.

Art de vivre

La vie à l'Ouest tourne, en grande partie, autour de l'océan, qu'il s'agisse des fêtes de la mer, des marins (Honfleur), ou des mouettes (Douarnenez), ou encore du concours international de la pêche en mer de Granville.

En Bretagne, les fêtes sont souvent liées à la religion – pèlerinages, « pardons » (où l'on vient cherche le « pardon » de ses fautes) – ou aux traditions bretonnes, comme les fêtes de Cornouaille à Quimper, où l'on peut voir les costumes et les coiffes traditionnels. Comme partout en France, certaines villes se sont fait une spécialité de rencontres artistiques : cinéma à Deauville, bande dessinée à Angoulême, film policier à Cognac, printemps musical à Poitiers, musique ancienne à Saintes. On n'oubliera pas les spectacles « son et lumière » qui mettent en valeur un site historique ; le plus célèbre est celui du Puy-du-Fou, qui retrace, avec l'ensemble des habitants, les guerres de Vendée.

La gastronomie dépend, elle aussi, de la présence de l'océan : poissons et crustacés sont sur toutes les tables, et l'on rappelle que le « homard à l'américaine » est en réalité « à l'armoricaine » (Armor étant, en breton « le pays voisin de la mer »). Mais l'intérieur du pays permet de découvrir la cuisine à la crème de Normandie, le beurre salé de Bretagne, les tripes « à la mode de Caen », l'andouille* de Vire. Une autre spécialité bretonne est la crêpe (ou galette) de froment ou de sarrasin, qui peut constituer un repas complet dans les nombreuses « crêperies » qui ont fait école dans toute la France.

▲ Produits du terroir normand.

▲ *Château Gaillard, Les Andelys.*

L'Ouest, et particulièrement la Bretagne, est le pays des mégalithes (grosses pierres), sous toutes leurs formes, qui remontent au quatrième millénaire avant J.-C.

Le menhir (grande pierre) est le monument le plus simple. C'est une pierre, dont le poids peut atteindre 350 tonnes, simplement dressée, parfois ornée de signes. Le cromlech est un cercle de menhirs et l'alignement un ensemble orienté. Les dolmens (tables de pierre) ont pu être liés à des rites funéraires

Tout l'Ouest, dont on a vu l'histoire mouvementée au Moyen Âge, est riche en châteaux forts et en villes fortifiées (Château-Gaillard, dans la vallée de la Seine, Caen, Vannes, Dinan, Saint-Malo, Guérande, Fougères).

Les églises romanes y sont nombreuses, et l'on peut même parler d'une « école normande » (Caen). Une des plus célèbres est l'église Notre-Dame-la-Grande, à Poitiers, tandis qu'à Saint-Savin, non loin de là, un ensemble de fresques est classé au Patrimoine mondial. Le chemin de Saint-Jacques-de-Compostelle, le plus important pèlerinage du monde chrétien au Moyen Âge, est marqué par de nombreux édifices romans. Du XIIe siècle date la tapisserie de la reine Mathilde de Bayeux, en fait une bande de broderie de 70 m de longueur qui relate l'épopée des Normands.

Les grandes cathédrales gothiques ne se comptent pas ; parmi les plus belles, sont celles de Caen, d'Evreux, de Rouen, immortalisée par la série de tableaux qu'en fit Claude Monet à la fin du XIXe siècle.

La Renaissance et l'époque classique sont marquées par la construction d'édifices civils (Hôtel du Parlement de Bretagne à Rennes, palais de justice de Rouen) et par la construction de nombreux « enclos paroissiaux » en Bretagne, un ensemble fait d'une église, d'une porte triomphale, d'un ossuaire (cimetière) et d'un calvaire, qui représente la Passion du Christ.

L'époque contemporaine est surtout marquée par d'audacieux ouvrages d'art, comme le pont de Tancarville, le pont de Normandie ou le pont de l'île de Ré.

L'art est présent dans de grands musées (Caen, Nantes, Rennes), et l'Ouest a attiré de nombreux peintres, pré-impressionnistes (Boudin), impressionnistes (Monet finit sa vie à Giverny, où l'on peut reconnaître le décor de nombreux tableaux, dont les célèbres « Nymphéas ») ou post-impressionnistes avec l'école de Pont-Aven et Gauguin.

Le Mont Saint-Michel

Le Mont Saint-Michel est le site le plus impressionnant de l'Ouest, la « merveille de l'occident » et la plus belle des abbayes françaises sur son île rocheuse. Au-dessus de la ville, parfaitement conservée, se dresse une église romane, et sur la face nord la « Merveille », ensemble de bâtiments gothiques (cloître, réfectoire, salle des chevaliers). C'est, avec la Tour Eiffel et le château de Versailles, l'un des monuments les plus visités de France, classé au Patrimoine mondial.

◀ *Fougères.*

▲ *Le pont de l'Île de Ré.*

Dans le marais de la Grande ▶
Brière, près de Nantes.

Parlé, écrit...

En dehors des accents locaux – celui de Normandie se retrouve au Canada francophone –, ce qui distingue le plus l'Ouest est la langue bretonne, langue celtique qui remonte à l'occupation de l'Armorique par les Brittons, chassés de la Grande-Bretagne actuelle par les Anglo-saxons aux Ve et VIe siècles. On retrouve les mots bretons usuels dans les noms de lieu (Loc = saint : Locronan est Saint-Renan ; Ker = village, Kermaria est le village de Marie) ou de personnes (Le Hir, le grand ; le Goff, le forgeron…).

L'Ouest a fourni à la littérature de grands écrivains : au XVIIe siècle le poète Malherbe et Pierre Corneille, dont l'œuvre (*Le Cid, Cinna…*) représente l'école classique au théâtre ; au XIXe siècle les romanciers Flaubert (*Madame Bovary*, situé dans un décor normand) et Maupassant, dont les nouvelles donnent un tableau coloré de la campagne normande ; les Bretons Chateaubriand, dont la jeunesse se passa autour de Saint-Malo, Renan et Jules Verne, auteur de romans scientifiques et d'anticipation.

La pointe du Raz

Voici quelques lignes de Gustave Flaubert et Maxime du Camp, décrivant la pointe du Raz, à l'extrémité de la Bretagne : « Nous arrivâmes à l'extrémité de la Pointe, au Finistère même. Là s'arrondit un petit plateau assez large pour qu'on puisse y poser ses deux pieds d'aplomb. Au-dessous les rochers se déchirent, s'écartent, se rejoignent, se confondent dans toutes les formes, dans toutes les postures, dans tous les aspects (...) En face, à deux lieues environ, l'île de Sein dormait sur les flots, ceinte* d'écueils, aplatie, sinistre, noire, et comme en deuil de tous les cadavres que les naufragés ont roulés sur ses fonds ».

(Par les champs et par les grèves).

▲ *Le Haras national du Pin.*

Exercices

33 LE MONT-SAINT-MICHEL

1. Comment appelle-t-on les bâtiments situés au sommet du Mont-Saint-Michel ?

2. Le Mont-Saint-Michel est-il une île ou une presqu'île ?

3. Dans quelle région se situe le Mont-Saint-Michel ?

4. Dans cette baie très plate et sans obstacle naturel on dit souvent que la mer monte à la vitesse :

    A. d'un cheval au galop

    B. d'un marcheur

    C. d'une tortue

34

1. Trouvez trois mots pour qualifier l'océan en colère.

2. Quel autre nom donne-t-on à la ville de Saint-Malo ?

3. Au Puy-du-Fou, les habitants jouent chaque soir d'été, pour les touristes, l'histoire des guerres de Vendée. Qui s'affrontait dans cette guerre, à quelle époque ?

4. Que célèbre-t-on tous les 6 juin à Omaha Beach ?

5. Que pêche-t-on sur les côtes bretonnes ?

6. De ces six produits agricoles, lesquels ne sont pas cultivés en plein champ en Bretagne ?
– le chou-fleur – la pomme de terre – l'orange – la tomate – l'artichaut – l'aubergine

35

1. Que transporte toujours Obélix, l'inséparable ami d'Astérix, sur son dos ?

2. Les dolmens ou tables en pierre que l'on rencontre en Bretagne ont probablement été édifiés pour :
manger – célébrer les morts – dormir dessus

3. Comment se nomme le lieu où l'on aperçoit des alignements importants de menhirs ?

4. Deux grands peintres de la fin du XIXe siècle ont été liés aux pays de l'Ouest. Lesquels ?

5. Pourquoi la ville de Lorient s'appelle-t-elle ainsi ?

6. Pourquoi parle-t-on des « Planches » de Deauville ?

7. Où se situe le pays de Caux ?

8. Qu'est-ce que le Vendée-Globe ?

9. Quelle est la particularité du Finistère ?

▲ *Futuroscope, Poitiers.*

10. Le Mans est célèbre pour deux raisons. Les connaissez-vous ?

---

36 POISSONS OU CRUSTACÉS

Voici des noms de plats sur des menus. Pouvez-vous dire s'il s'agit de poissons ou de crustacés ?

1. sole normande

2. homard à l'armoricaine

3. turbot braisé

4. coquilles Saint-Jacques

5. thon grillé

6. moules marinières

7. cabillaud au fenouil

8. crabe farci

9. saumon en papillote

10. langouste thermidor.

---

37 VRAI OU FAUX ?

Si vous répondez faux, donnez la bonne réponse.

1. Une crêpe est un chapeau breton.

2. Le mot breton Armor signifie en français le pays de la mer.

3. Le calvados est une eau-de-vie de poire.

4. Astérix est breton.

5. Un pardon est une lutte à mains nues où le vainqueur demande pardon au vaincu.

6. Un menhir est une pierre dressée.

7. L'Ouest de la France fut longtemps disputé entre la France et l'Angleterre. Mais c'est aussi de Normandie que Guillaume le Conquérant partit à la conquête de l'Angleterre.

---

38 CHOISISSEZ LA BONNE RÉPONSE

Jeanne d'Arc était (*lorraine/dauphinoise*). La France était alors occupée par les (*Espagnols/Anglais*). Sa mission de délivrer la France lui fut donnée par (*un messager du roi/des vois surnaturelles*). Elle reconnut le roi au milieu de sa cour à (*Blois/Chinon*). Elle délivra (*Orléans/Tours*), fut blessée au siège de (*Rennes/Paris*). Elle fit sacrer Charles VII à (*Reims/Lille*). Elle fut capturée à Compiègne par les (*Anglais/Bourguignons*). Elle fut jugée et déclarée (*hérétique/ennemie du roi*) et mourut à Rouen (*brûlée vive/pendue*).

▲ *Rouen et ses maisons à colombage.*

8

La France d'Outre-mer

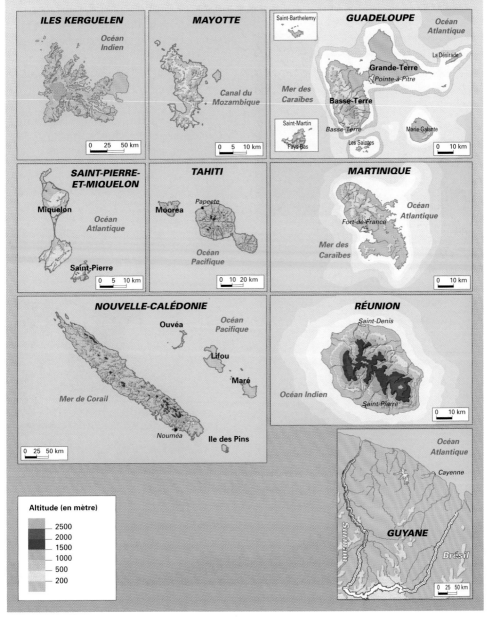

ILES KERGUELEN
Océan Indien
0 25 50 km

MAYOTTE
Canal du Mozambique
0 5 10 km

Saint-Barthelemy

GUADELOUPE
Océan Atlantique
La Désirade
Grande-Terre
Pointe-à-Pitre
Mer des Caraïbes
Basse-Terre
Saint-Martin
Pays-Bas
Basse-Terre
Les Saintes
Marie-Galante
0 10 km

SAINT-PIERRE-ET-MIQUELON
Miquelon
Océan Atlantique
Saint-Pierre
0 5 10 km

TAHITI
Moorea
Papeete
Océan Pacifique
0 10 20 km

MARTINIQUE
Océan Atlantique
Fort-de-France
Mer des Caraïbes
0 10 km

NOUVELLE-CALÉDONIE
Ouvéa
Océan Pacifique
Lifou
Maré
Mer de Corail
Nouméa
Ile des Pins
0 25 50 km

RÉUNION
Saint-Denis
Océan Indien
Saint-Pierre
0 10 km

Altitude (en mètre)
- 2500
- 2000
- 1500
- 1000
- 500
- 200

GUYANE
Océan Atlantique
Cayenne
Surinam
Brésil
0 25 50 km

● Identité

Le terme de France d'Outre-mer désigne des territoires très divers, par leur statut administratif, leur superficie, leur population. Ils sont situés :

▲ *Paysage d'Outre-mer.*

– dans l'Atlantique, en bordure de la mer des Caraïbes (Antilles française) : les deux départements la Guadeloupe et la Martinique ;
– en Amérique du Sud, au nord du Brésil : le département de la Guyane française ;
– dans l'Atlantique Nord, au large du Canada : Saint-Pierre-et-Miquelon ;
– dans l'Antarctique : les Terres australes et antarctiques françaises ;
– dans l'Océan Indien : Mayotte, à l'ouest de Madagascar ; le département de la Réunion, à l'est de Madagascar ;
– dans le Pacifique : la Nouvelle-Calédonie, la Polynésie française, les îles Wallis-et-Futuna.

▲ *En Nouvelle-Calédonie, des pins aux formes étranges.*

Histoire

En 1939, l'empire colonial français était formé de colonies et de protectorats, s'étendait à l'Afrique du Nord, à l'Afrique Occidentale française (AOF), à l'Afrique Équatoriale française (AEF), aux îles de l'Océan Indien et au Pacifique, mais également au continent asiatique (Indochine) et au Proche-Orient (Syrie et Liban). En 1946 fut créée l'Union française qui fut remplacée en 1958 par la Communauté, dans laquelle de nombreux territoires acquirent leur indépendance. Dans certains départements ou territoires existent (en 2001) de fortes tendances autonomistes ou indépendantistes (Nouvelle-Calédonie, Polynésie). Il existe actuellement des départements d'Outre-mer (DOM), dont l'administration est semblable à celle des départements et régions métropolitains, et des territoires d'Outre-mer (TOM), au statut spécial.

▲ *En Nouvelle-Calédonie, une cabane traditionnelle.*

▲ *Conseil régional et Conseil général pour les DOM, assemblée territoriale pour les TOM, l'administration de la France d'Outre-mer n'est pas simple… mais démocratique.*

Les Antilles

La Guadeloupe est un ensemble de neuf îles, dont deux grandes (Basse-Terre et la Grande-Terre), qui regroupe 428 000 habitants, Noirs, Mulâtres, Indiens, Créoles (Blancs nés aux Antilles) et 8 000 Français de la Métropole*. Ce sont des îles volcaniques, montagneuses ; Basse-Terre est dominée par la volcan de la Soufrière (1 467 m) qui constitue une menace constante. Le climat est chaud et humide, les cyclones y sont fréquents (tous les huit ans en moyenne).

La Martinique voisine, présente les mêmes caractères, avec une population de près de 400 000 habi-

▲ *Partout, dans les DOM-TOM, la terre et la mer.*

tants, dont 101 000 dans la préfecture Fort-de-France. Le volcan de la Montagne Pelée détruisit en 1902 la ville de Saint-Pierre, faisant 30 000 morts.

L'économie de ces deux départements d'Outre-mer (DOM) est essentiellement agricole (canne à sucre – d'où l'on tire aussi le rhum – ananas, banane). Aussi est-elle menacée par la concurrence étrangère : la main-d'œuvre y est quatre fois plus chère que dans les îles voisines, dix fois plus qu'à Haïti... Mais l'une des richesses du pays est due au tourisme, grâce au climat tropical et à la présence de la mer.

La Guyane

La Guyane est aussi un département, dont la surface est couverte à 94 % par la forêt équatoriale. Sur les 185 000 habitants,

les métropolitains ne constituent que 12 % de la population, qui pour les deux tiers habitent dans les rares villes, dont la préfecture Cayenne (50 000 habitants) et Kourou (14 000 habitants).

De 1852 à 1936, la Guyane abrita le bagne de Saint-Laurent-du-Maroni.

L'économie de la Guyane repose sur une agriculture peu développée (pêche, bois, fruits), et sur la présence de la base de lancement de satellites de Kourou.

Dans l'Atlantique Nord

À 250 km au sud de Terre-Neuve, l'archipel de Saint-Pierre-et-Miquelon a une population de 6 600 habitants. Il a été depuis le XVIᵉ siècle tantôt anglais, tantôt français. C'est une « collectivité territoriale »*

▲ *La végétation luxuriante des îles.*

▲ *De la Martinique à la Polynésie, des montagnes volcaniques.*

(l'équivalent administratif d'un département) avec un Conseil général et un préfet, un député et un sénateur. Sa capitale est Saint-Pierre. L'économie est dominée par la pêche (morue et saumon). Le tourisme commence à s'y développer. En 1993 a été créé un centre de francophonie.

Les îles de l'océan Indien

Mayotte, centre d'un archipel de 130 000 habitants est une collectivité territoriale, dirigée par un préfet et un Conseil général, où l'on vit essentiellement de la pêche, de l'agriculture et du tourisme.

La Réunion (département d'Outre-mer dont la capitale est Saint-Denis,

121 000 habitants) à l'est de Madagascar regroupe près de 675 000 habitants. C'est – sous le nom d'île Bourbon – une possession française depuis 1642. C'est une île volcanique, dont le sommet, le Piton des Neiges, atteint 3 069 m, au climat tropical tempéré, avec une flore particulièrement riche. Son économie repose sur l'agriculture, la pêche et le tourisme.

Les îles du Pacifique

La Nouvelle-Calédonie est un territoire d'Outre-mer, doté d'un statut de semi-autonomie, situé à 1 800 km à l'est de l'Australie, dans la mer de Corail. C'est un archipel, dont l'île principale (Grande-Terre, 400 km sur 40, 150 000 habitants) a pour chef-lieu Nouméa (76 000 habitants). Le climat est semi-tropical tempéré. La population (196 000 habitants en

1996) est formée presque pour moitié par les indigènes Mélanésiens (Canaques), formés en plus de 300 tribus.

La richesse de l'île réside en partie dans son agriculture, dans l'exploitation du nickel (20 % des réserves mondiales), et dans le tourisme, qui se développe rapidement, favorisé par des paysages d'un exceptionnelle beauté.

Après de très graves troubles politiques, la Nouvelle-Calédonie s'est vu reconnaître le droit à l'autodétermination (référendum de 1998).

A 2 500 km à l'est de la Nouvelle-Calédonie, le territoire de Wallis-et-Futuna, îles au climat et à la végétation tropicales, regroupe 15 000 habitants.

La Polynésie française

La Polynésie française, au centre du Pacifique Sud,

▲ *Des plages qui font rêver, de l'Atlantique au Pacifique.*

est formée de 118 îles et atolls, dispersés sur une surface égale à dix fois celle du territoire de la France métropolitaine (5 500 000 km²), avec 220 000 habitants, dont 165 000 indigènes (Polynésiens). C'est un territoire d'Outre-mer, doté d'un statut de semi-autonomie. L'archipel le plus connu est celui des Iles-du-vent, où se trouve l'île de Tahiti et la capitale du territoire (Papeete, 23 000 habitants). L'agriculture fournit essentiellement le coprah (noix de coco), la vanille, le café, les fleurs tropicales. Une culture originale est celle des huîtres perlières. De 1963 à 1987, l'archipel des Tuamotu a abrité, à Mururoa, le Centre Expérimental d'essais nucléaires militaires. Les Terres australes et antarctiques françaises (Terre-Adélie, îles Crozet,

Kerguélen, Amsterdam) sont seulement des bases scientifiques où résident, en tout, 120 permanents, et où séjournent régulièrement des expéditions.

En Polynésie sont enterrés quatre hommes célèbres à différents titres : Alain Gerbault, le troisième à avoir fait le tour du monde en solitaire à la voile en 1923-1924 ; le chanteur Jacques Brel ; l'explorateur polaire Paul-Emile Victor ; et le peintre Paul Gauguin qui y vécut de 1891 à 1903.

▲ *Fruits exotiques.*

▲ *Retour de pêche en Martinique*

▲ *Un canaque.*

Ariane

Après l'échec de la fusée Europa (1966-1973) est mis en action le programme européen Arianespace, opérationnel depuis 1982. La fusée Ariane 1 (47,70 m de haut) peut placer 1 850 kg en orbite ; Ariane 2 et 3 peuvent placer deux satellites de 1,25 tonne en orbite. Ariane 4, utilisée jusqu'en 1998, avec 58,40 m de hauteur, peut placer jusqu'à 4,5 tonnes en orbite. Ariane 5, opérationnelle depuis 2000, a 57 m de haut, et pourra placer 23 tonnes en orbite basse et 10 tonnes en orbite polaire. Plus de 120 tirs ont déjà été effectués de Kourou.

Parlé, écrit...

Dans les DOM-TOM, la langue officielle est évidemment le français, qui n'a pas supprimé les langues ou parlers locaux ; comme le « créole » aux Antilles, et à la Réunion, le tahitien en Polynésie, et... 28 langues locales en Nouvelle-Calédonie.

A la Réunion est né le grand poète Parnassien Leconte de Lisle (1818-1894). Aimé Césaire, poète et auteur de théâtre, et le romancier Patrick Chamoiseau (Prix Goncourt en 1992) ont tous deux célébré leur pays natal, les Antilles.

▲ *Un marché typique dans les îles.*

Exercices

39

Où se trouvent les villes ou territoires ou personnes suivantes dont vous donnerez le nom ?

1. la grande base française de lancement de satellites

2. Les belles vahinés (jeunes femmes) célébrées par un grand peintre

3. Des terres où n'habitent que des scientifiques en mission

4. 20 % des réserves mondiales de nickel

5. Des îles où il fait bon vivre malgré la présence de volcans en activité

6. Un centre de pêche à la morue

7. Les tribus canaques

8. Des bananeraies et des plantations de canne à sucre

9. La patrie du poète Leconte de Lisle.

40

Connaissez-vous d'autres pays d'Europe qui ont, comme la France, des possessions outre-mer ?

41 ET DANS VOTRE PAYS ?

1. Quelles sont les plus grandes richesses naturelles ?

2. Que représente pour vous l'image idéale des vacances ?

▲ *En Guadeloupe, le sourire des enfants.*

42

1. Quel pourcentage de la population mondiale représente la population de la France ?

0,01 % – 0,1 % – 1 % – 11 %

2. La France est un des pays les plus riches du monde :

Le troisième – le quatrième – le cinquième – le sixième

3. Classer par ordre décroissant de leur importance les religions suivantes en France :

Bouddhiste – catholique – juive – musulmane – protestante

4. Trouvez parmi les neuf plus grandes agglomérations françaises suivantes les 3 premières :

Bordeaux – Brest – Lille – Lyon – Marseille – Nice – Paris – Saint-Etienne – Toulouse

5. Quelle proportion de la France est recouverte de forêt ?

$1/20^e$ – $1/10^e$ – $1/5^e$ – $1/4$

6. Combien y a-t-il de kilomètres de côtes en France ?

A. 700 km environ – B. 1 700 km environ – C. 2 700 km environ – D. 10 700 km environ

7. La France a autant de communes que onze des quinze pays de l'Union européenne réunis, c'est-à-dire ?

A. près de 12 000 – B. près de 24 000 – C. près de 36 000 – D. près de 48 000

8. La France est le premier exportateur en Europe de certains produits. Lesquels ?

électricité – produits agricoles – vins d'appellation contrôlée – eaux minérales – automobiles – réfrigérateurs – locomotives – soja – appareils de photographie.

9. Vers quels pays la France exporte-t-elle le plus ?

les États-Unis – la Russie – l'Allemagne – la Grande-Bretagne

▲ *Paysages de la Creuse.*

43 **PAYSAGES DE FRANCE : L'EAU**

1. Placez les mots de la liste suivante en deux colonnes :

• colonne 1 : mots qui se rapportent à l'eau douce

• colonne 2 : mots que se rapportent à la mer et aux côtes maritimes.

Un étang – un torrent – une falaise – une mare – un îlot – un lac – un fleuve – un promontoire – un marais – un delta – un golfe – un ruisseau – un phare – un océan – une calanque – une baie – une rivière – un marécage – une presqu'île – une rade – un archipel

2. Quelle différence y a-t-il entre une rivière et un fleuve ?

▲ *Cathédrale de Strasbourg, portail sud.*

44 **LE RELIEF**

Complétez les phrases suivantes en utilisant les termes de la liste ci-dessous.

Le glacier – le mont – le plateau – la pente – le sommet – les Jeux olympiques – la chaîne

1. Le... Blanc est le plus haut... d'Europe à 4 807 mètres.

2. Nous avons dû mettre des crampons (ensemble de crochets que l'on place sous les chaussures) pour traverser le...

3. A Val-d'Isère, la piste noire nous a conduits sur une... très raide.

4. Le Vercors, qui est un... à environ 1 000 mètres d'altitude, est un cadre idéal pour faire du ski de fond.

5. Les Pyrénées forment une... de montagnes de 350 kilomètres de longueur.

6. En 1924 à Chamonix, en 1968 à Grenoble et en 1992 à Albertville ont eu lieu les... d'hiver.

45

Associez termes et définitions :
1. le bois
2. le puy
3. le maquis
4. la garrigue
5. le bocage
6. la plaine
7. le causse

A. espace couvert d'arbres
B. terrain couvert de végétation méditerranéenne en Corse
C. terrain pierreux calcaire dans le Midi
D. plateau calcaire dans le sud du Massif central
E. étendue de pays plat ou presque plat
F. terrain formé de prés coupés de haies
G. un volcan éteint

46 **CULTURES ET PRODUITS DE TABLE**

Associez cultures et produits.
Produits :
A. salades
B. huîtres
C. pommes
D. pommes de terre
E. abeilles
F. poires
G. oliviers
H. poissons
I. fleurs
J. bois

Exercices de rappel

▲ *Écluse de Fontierannes.*

1. Amboise – 2. Chambord – 3. Chenonceaux – 4. Villandry

A. Ce château est très célèbre pour ses jardins – B. Ce château est le plus grand et a, dit on 365 cheminées – C. Il enjambe élégamment le Cher – D. Il domine la Loire.

5. Qui a fait construire le château de Versailles ?

6. Quel est l'emblème de Louis XIV ?

7. De quel siècle date l'arc de triomphe de l'Étoile ?

8. Pour quelle manifestation mondiale le Stade de France a-t-il été construit ?

Cultures :
1. Horticulture
2. Ostréiculture
3. Sylviculture
4. Culture maraîchère
5. Oléiculture
6. Pisciculture
7. Floriculture
8. Apiculture.

48

Associez édifices et cultes

édifices :
– églises
– monastère
– mosquée
– cathédrale

47

1. A quelle époque ont été construits la plupart des monuments romains en France ?

2. Citez cinq types de monuments construits par les Romains.

3. Citez deux églises romanes et trois cathédrales gothiques.

4. Voici quatre châteaux de la Renaissance : en vous aidant des quelques informations suivantes, pouvez-vous trouver le nom ?

▲ *Pommes du Pays d'Auge*

– temple
– synagogue
– chapelle
– abbaye

cultes :
– catholique
– protestant
– juif
– musulman
– bouddhiste

49

L'été en France est la période privilé-
giée de grandes manifestations
touristiques et culturelles. Trouvez la
définition des mots suivants :

1. bal populaire

2. Exposition

3. Corrida

4. Féria

5. Festival

6. Foire

50

Vous êtes au restaurant et vous avez
choisi le plat régional. Dans quelle ville
ou quelle région êtes-vous ?

1. une crêpe fourrée

2. Une quiche

3. Un gratin de pommes de terre

4. Un cassoulet

5. Une fondue au fromage

6. Un bœuf bourguignon

7. Une bouillabaisse

8. Une potée

9. Une choucroute

10. Une omelette aux tomates et aux
poivrons

11. Une quenelle en sauce et un saucisson chaud

12. Un confit d'oie.

▲ *Les hospices de Beaune.*

51

Quelle ville surnomme-t-on :

1. la Ville rose

2. La Porte d'Orient

3. La Capitale des Gaules

4. La Ville lumière

52

À quelle région sont particulièrement
liées les œuvres des écrivains suivants :

Exercices de rappel

▲ *Chaumière normande*

1. Honoré de Balzac

2. George Sand

3. Guy de Maupassant

4. Jean Giono

5. François Mauriac.

53

Associez peintres du XIXᵉ siècle et XXᵉ siècle, titres de tableaux et lieux, sites ou paysages.

Peintres :
1. Cézanne
2. Degas
3. Dufy
4. Matisse
5. Monet
6. Van Gogh
7. Courbet
8. Picasso
9. Gauguin

Tableaux :
A. Ma chambre à Arles
B. La cathédrale de Rouen
C. La jetée – promenade à Nice
D. Ta Matete, Le marché à Tahiti
E. La montagne Sainte–Victoire
F. Porte-fenêtre à Collioure
G. Le foyer de la danse à l'Opéra
H. Un enterrement à Ornans
I. Les demoiselles d'Avignon.

▲ *Paysages des Alpes de Haute-Provence.*

Corrigé
des exercices

Corrigé des exercices

L'Ile-de-France

1 **RIVE DROITE, RIVE GAUCHE**

1. d - **2.** d - **3.** d - **4.** d - **5.** g - **6.** d - **7.** d - **8.** g - **9.** ni d, ni g : c'est l'île de la Cité, reliée aux rives par des ponts, dont le Pont Neuf - **10.** g

2

1. Il s'agit du plus ancien pont de Paris, (1578-1604) ; il a résisté depuis quatre cents ans à toutes les crues de la Seine que l'on mesurait à partir de la statue du Zouave du Pont de l'Alma.

2. Situé près du Louvre et du Palais royal, le théâtre de la Comédie Française a été fondé en 1680. On peut y voir le fauteuil où Molière fut terrassé en jouant « Le Malade imaginaire ».

3. Le peintre Marc Chagall a peint en 1964 le nouveau plafond de l'Opéra, appelé aussi Palais Garnier, du nom de l'architecte qui présida à sa construction (1860-1875).

▲ *Notre-Dame.*

4. La gare de Lyon dessert le Sud, vers Lyon et Marseille ; la gare du Nord Lille, la Belgique et l'Angleterre par le tunnel sous la Manche ; la gare Saint-Lazare le Nord-Ouest ; la gare de l'Est Strasbourg et l'Allemagne ; la gare d'Austerlitz le Sud-Ouest, vers Bordeaux ou Toulouse et l'Espagne ; et la gare Montparnasse l'Ouest.

5. *Notre-Dame de Paris*, (1831), roman de Victor Hugo, dont les deux personnages principaux sont la bohémienne Esméralda et le sonneur de cloches Quasimodo. Les œuvres les plus connues de Hugo sont, au théâtre, *Hernani* et *Ruy Blas*, en poésie *Les Contemplations* et *La Légende des Siècles*, et le grand roman *Les Misérables*.

6. La pyramide de verre et d'acier qui s'élève au centre de la cour Napoléon est due à l'architecte Ieoh Ming Pei (1988-1992).

7. La place de la Concorde est l'ancienne place de Grève, où avaient lieu autrefois les exécutions publiques. C'est là que Louis XVI fut guillotiné en 1793.

8. La rue de Vaugirard traverse le sud de Paris de la Porte de Versailles jusqu'au jardin du Luxembourg sur 4 kilomètres 360.

9. Sur la place Denfert-Rochereau s'élève le Lion du sculpteur Bartholdi (qui fit aussi la Statue de la Liberté de New-York), commémorant la résistance de la citadelle de Belfort en 1870-71 (voir l'illustration page 54). C'est là que se trouve l'entrée des Catacombes, des anciennes carrières (certaines remontent à l'époque gallo-romaine) utilisées comme cimetière souterrain en 1785. On peut voir, le long des murs des galeries, des têtes de morts et des tibias, un spectacle impressionnant !

10. Le bois de Boulogne (familièrement « le Bois »), à l'ouest, et le bois de Vincennes, au sud-est, sont des grands espaces de détente ; dans le premier se trouvent deux lacs, les hippodromes de Longchamp et d'Auteuil, la roseraie de Bagatelle, et le Jardin d'Acclimatation, parc zoologique et parc d'attractions pour les enfants. Dans le bois de Vincennes, en dehors du château du XIVᵉ siècle, se trouvent également un hippodrome, un parc zoologique et un parc floral.

3

A. 1/d - 2/c - 3/e - 4/a - 5/b

B. 1/d - 2/a - 3/b - 4/e - 5/c.

4

1. l'École polytechnique

2. l'École des Mines

3. l'École des hautes études commerciales (H.E.C.)

4. L'École nationale d'administration (E.N.A.), en partie délocalisée à Strasbourg.

5. Saint-Cyr, transférée depuis 1945 en Bretagne (Coëtquidan).

6. L'École normale supérieure, qu'on appelle aussi la « Rue d'Ulm ».

5

1. Pigalle au pied de la Butte Montmartre, est connu par ses nombreux « cabarets », où se donnent des spectacles variés ; c'est aussi un quartier « chaud », voué aux différentes formes d'érotisme.

2. Le quartier des Halles a gardé le nom qu'il devait au marché central de Paris, où s'élevaient les pavillons de Baltard pour les différentes denrées (poissons, légumes, viande…) et que Zola a célébré dans son roman *Le Ventre de Paris*.

3. Le Quartier-Latin regroupe depuis la fin du Moyen Âge, des établissements d'enseignement dont la Sorbonne. On y trouve aussi des lycées, le Panthéon, superbe monument du XVIIIᵉ siècle, « temple de la renommée » où sont inhumés des « grands hommes » qui se sont illustrés dans les armes, la politique, la science ou les arts. Tout proche sont le musée Cluny, avec ses collections du Moyen Âge, et le boulevard Saint-Michel, avec ses librairies.

4. Les grands boulevards, du quartier de l'Opéra à la place de la République, sont parmi les endroits les plus animés de Paris, avec les grands magasins (Galeries Lafayette, Printemps), les brasseries, les théâtres, les cinémas. Ils doivent leur aspect actuel au baron Haussmann, chargé par Napoléon III de donner au centre de Paris un visage moderne, autour de 1860.

5. C'est sur cette île qu'est née Lutèce, bourgade gauloise. Les deux monuments les plus remarquables sont la cathédrale Notre-Dame et le Palais de

▲ *La grande Arche de la Défense.*

Corrigé des exercices

▲ *Versailles, la grille devant le palais.*

Justice, avec la Sainte-Chapelle et la prison de la Conciergerie.

6. Le plateau Beaubourg, sur l'emplacement des anciennes halles, accueille de nombreuses galeries d'art et le Centre G. Pompidou, consacré à l'art contemporain.

7. Auteuil, entre la Seine et le bois de Boulogne, est l'un des « beaux quartiers » de Paris. On y voit entre autres la Maison de la Radio (1962), l'un des plus vastes édifices de la capitale (2 hectares).

8. Les bateaux « Mouche » qui naviguent sur la Seine, tirent leur nom d'un quartier de Lyon où ils étaient autrefois construits. Ils permettent des vues originales sur les principaux monuments du centre de Paris.

9. Le quartier de la Défense date de la fin des années soixante-dix : c'est un quartier d'affaires, avec d'immenses tours ultra-modernes ; l'Arche de la Défense donne la réplique à l'arc de triomphe de l'Étoile.

10. La « Butte » Montmartre est l'un des quartiers les plus pittoresques de Paris, avec ses vieilles rues qui évoquent la vie de bohème du XIXe siècle (Max Jacob, Apollinaire). La basilique du Sacré Cœur est l'un des monuments les plus visités de France (5 000 000 de touristes).

6

Le Figaro (de droite), Le Monde (de gauche), Le Point (de droite), Le Nouvel Observateur (de gauche)

7

Le Palais de Chaillot (1937), sur la rive droite, face à la Tour Eiffel, est un ensemble architectural qui abrite des musées (Musée de l'Homme, musée de la Marine) et le théâtre National de Chaillot (ancien Théâtre National Populaire). Le quartier évoque une pièce célèbre de Giraudoux, « La folle de Chaillot ».

Le Palais Brongniart n'est autre que la Bourse, le CAC 40 est l'indice des 40 premières sociétés françaises cotées en bourse.

Au Palais Bourbon siège l'Assemblée Nationale (autrefois « Chambre des députés ») ; c'est dans son « hémicycle » que se votent les lois.

Le Petit Palais, comme le Grand Palais, construits autour de 1900, en bordure des Champs-Élysées, abritent des expositions d'art.

Le Palais de la Découverte, près des Champs-Élysées, est consacré à la science, avec un planetarium sous sa coupole. Il est complété depuis 1986

▲ *Le Champ de Mars.*

par la Cité des Sciences et de l'Industrie de La Villette.

8

Train à grande vitesse
Régie autonome des transports parisiens
Société d'exploitation industrielle des tabacs et allumettes
Musée national d'art moderne
Habitation à loyer modéré

▲ *Le château de Chambord.*

Le Centre

9

Céder le château au roi – le grand jardin – une galerie – décore – une famille privée

11

une usine – locomotive – inventé – se développe – chiffre d'affaires

12

1/D – 2/C – 3/B – 4/E – 5/H – 6/A – 7/F – 8/G

10

les murs sont moins épais – les fenêtres sont plus grandes, larges et croisées – les escaliers sont plus larges (on peut y faire monter un cheval !) – les toits, pointus, s'ornent de cheminées décorées, comme à Chambord – les façades reçoivent des ornements – on plante de vastes jardins avec des arbres et des fleurs.

13

réponses libres

Le Nord et l'Est

14

Par leur gentillesse légendaire, leurs sens de l'amitié et de l'entraide, leur absence de prétention et leur générosité. Les gens du Nord sont accueillants, ils aiment les fêtes – carnavals et surtout les kermesses qu'on appelle « *ducasses* » – comme dans les Flandres.

▲ *Château du Duc de Bourbon à Montluçon.*

15

1. Strasbourg est le siège du Conseil de l'Europe et de la Cour européenne des

Corrigé des exercices

▲ *Porte fortifiée à Laon.*

droits de l'homme. Le Parlement européen y siège une fois par mois, et le reste du temps à Bruxelles.

2. On parle l'alsacien, un dialecte alémanique, que pratiquent les trois quarts des Alsaciens de plus de 15 ans.

3. Le drapeau de l'Union européenne représente 12 étoiles d'or à cinq branches sur fond bleu, quel que soit le nombre de pays constituant l'Union. Actuellement (2001), ces pays sont au nombre de 15 : Allemagne, Autriche, Belgique, Danemark, Espagne, Finlande, France, Grande-Bretagne, Grèce, Irlande, Italie, Luxembourg, Pays-Bas, Portugal, Suède.

4. C'est la future monnaie européenne qui se mettra en place à partir de 2002 pour les pays de l'Union qui respectent les « critères de convergence » : c'est-à-dire une hausse limitée du coût de la vie, une monnaie stable, des taux d'intérêt modérés, des finances publiques

5. La Petite France est un quartier parmi les plus anciens de la ville, au bord de l'Ill.

6. La cathédrale de Strasbourg n'a qu'une seule flèche de 142 m de hauteur. Une partie de la cathédrale est romane, mais l'essentiel est un chef-d'œuvre de l'art gothique. À l'intérieur se trouve une horloge astronomique (1838), attraction très populaire.

7. Les Vosges dont la ligne de crête couronnée de fôrets était de 1871 à 1914 la frontière entre la France et l'Allemagne. Ceux qui espéraient alors que l'Alsace redevienne française avaient « l'œil fixé sur la ligne bleue des Vosges »…

8. Reims est célèbre par le champagne. Mais sa cathédrale gothique, où étaient jadis sacrés les rois de France, est aussi remarquable (voir page 49 la statue de « l'ange au sourire »).

9. Un coron est un ensemble de petites maisons basses où habitaient les mineurs de charbon, appelés « gueules noires », dont le roman de Zola, *Germinal* a décrit la rude vie à la fin du XIXe siècle..

10. Durant la Première Guerre mondiale, l'invasion de la France en 1914 par les armées allemandes a contraint le Ministère de la guerre à réquisitionner un grand nombre de

▲ *Grille de Jean Lamour, place Stanislas à Nancy.*

▲ *Porte de la Craffe à Nancy.*

taxis parisiens pour emmener sur le front de la Marne les « poilus » (soldats français).

16

1. La présence de charbon et de minerai de fer, une main d'œuvre abondante et bon marché, la facilité des communications (canaux, chemins de fer).

2. Actuellement, le charbon est de moins en mois exploité, les aciéries produisent moins, l'industrie textile est fortement concurrencée par les pays d'Extrême-Orient.

3. Le plat traditionnel consommé en Alsace est la choucroute, composée essentiellement de choux et de tranches de porc (saucisson chaud, jambon, saucisses), servi avec des pommes de terre, de la bière, des câpres

4. La bière se fabrique essentiellement à partir de l'*orge* fermenté et du *houblon*.

Les Gaulois connaissaient déjà la bière (sans houblon) qu'ils appelaient « cervoise ».

5. Depuis, la Côte d'opale on aperçoit les côtes anglaises.

Le Centre-Est

17

1. À Lyon, une « traboule » est un passage intérieur au milieu des maisons, faisant communiquer deux rues.

2. Lyon fut, sous l'empereur Auguste, la capitale des trois grandes provinces romaines impériales, (Lyonnaise, Aquitaine, Belgique). Le musée de la civilisation gallo-romaine rappelle son importance.

3. Sainte Blandine fut l'un des premiers martyrs chrétiens (177) ; épargnée par les lions, elle fut décapitée.

4. La houille blanche est le nom donné à l'énergie hydroélectrique produite depuis des retenues d'eau (barrages, rivières), à la fin du XIXe siècle, par des « centrales » électriques et grâce à laquelle se sont développées d'importantes usines d'électrochimie et d'électrométallurgie.

5. Les frères Lumière inventèrent le cinématographe en 1895, ancêtre du cinéma moderne ; ils réalisèrent aussi la plaque *autochrome,* premier procédé commercial de la photographie en couleur (1903).

6. Stendhal, écrivain français, né à Grenoble en 1783, est notamment l'auteur du célèbre roman *Le Rouge et le Noir* (1831).

7. C'est à Grenoble en 1788, qu'eurent lieu les premières assemblées préparant la Révolution. Le 7 juin 1788, la population de Grenoble prit les armes et jeta depuis les toits des tuiles sur les régiments royaux qui occupaient la ville pour empêcher le départ en exil du Parlement du Dauphiné. C'est pour les historiens la première journée révolutionnaire.

8. Le Rhône, le plus puissant des fleuves français long de 812 km, prend sa source en Suisse dans le massif du Saint-Gothard (Valais) traverse le lac *Léman* (72 km) et reprend sa course vers la ville de Lyon, où il reçoit en amont de la ville son principal affluent la Saône. Il se jette dans la Méditerranée par un delta, la Camargue.

9. Grenoble en 1968 et Albertville en 1992 accueillirent les Jeux olympiques d'hiver.

10. Aux environs de la ville de Vallon-Pont-d'Arc se trouve le site de Pont d'Arc, arche creusée par la rivière Ardèche qui forme un pont naturel, départ de la descente des rapides qui s'effectue en canoë sur près de 45 km.

18

Évian et Besançon

▲ *Le vieil Annecy.*

▲ *Stade Geoffroy-Guichard à Saint-Étienne.*

19

Saint-Emilion (Bordelais), Châteauneuf-du-Pape (Côtes du Rhône)

20

A. Un harpon (qui sert à attraper des poissons) et, dans une moindre mesure, la bouteille de cognac, qui peut être utilisée pour se réchauffer mais avec modération !

L'alpiniste se sert :
– d'une corde (il forme une « cordée » pour assurer la sécurité de ses compagnons)
– d'un piolet et de crampons pour mieux tenir sur la glace
– d'un mousqueton, pour relier une corde à un piton ou s'attacher.

B. La randonnée équestre se pratique à cheval et la parachutisme, sport très en vogue dans les régions de montagne (parapente).

C. C'est la charcuterie qui est la spécialité de Lyon et non la noix, spécialité de Grenoble

21

Un réacteur nucléaire. En France, plus de 80 % de l'énergie est d'origine nucléaire. EDF (Électricité de France) a eu, jusqu'en 1998, le monopole d'État de la production et de la distribution d'électricité en France.

22

réponses libres

La France méditerranéenne

▲ *Arc de triomphe d'Orange. La Provence fut une terre de colonisation romaine.*

23

1. C'est le nom de la région « Provence-Alpes-Côte d'Azur ». La Communauté européenne (L'Union européenne aujourd'hui) en 1972 a souhaité que les pays de l'union soient divisés en unités comparables d'un pays à l'autre. « PACA » est l'une des plus importantes régions de France à forte vocation touristique.

2. Marseille, troisième ville de France avec son Vieux-Port et la basilique Notre-Dame de la Garde dite « la Bonne Mère », Nice et sa Baie des Anges, Toulon et son port de guerre, le second après Brest, Avignon avec le Palais des Papes et son festival de Théâtre, Montpellier capitale du Languedoc.

▲ *À Uzès, le château d'Agoult, d'architecture classique (Gard).*

3. Cette région fortement viticole était celle qui leur rappelait le plus l'Algérie, à cause de son climat et de sa végétation et de ses cultures d'agrumes et de vignes. Les Français d'Algérie (rapatriés) avaient aussi le sentiment d'être plus près de leur ancienne patrie.

4. Le festival de Cannes décerne chaque année (sauf année de guerre) une Palme d'or aux meilleurs réalisateurs, acteurs et scénaristes de films.

5. Pays de marécages et de prairies (chevaux de Camargue, taureaux noirs, Ibis, flamants roses), situé entre les deux branches du delta du Rhône ayant pour capitale historique la ville fortifiée d'Aigues-Mortes qui au XIIIe siècle était un port par lequel le roi Saint-Louis embarqua pour les croisades.

6. La ville de Monaco est construite en partie sur un rocher au pied de falaises impressionnantes, paradis pour milliardaires, artistes et sportifs qui peuvent rechercher outre la beauté et la douceur d'un paysage unique, des avantages fiscaux.

7. L'actrice de cinéma Brigitte Bardot rendit très populaire ce site enchanteur. La ville de Saint-Tropez et ses plages de sable fin furent littéralement envahis au début des années 1960 par toute une jeunesse « dorée ».

8. Les santons de Provence sont des petits personnages ou figurines typiques que l'on place dans la crèche au moment de Noël.

9. Il s'agit des personnages centraux d'une trilogie (trois romans) de Marcel Pagnol racontant l'histoire du père, *César*, cafetier marseillais et amateur du jeu de cartes « la belote » ; de son fils *Marius*, qui s'embarque à bord d'un long courrier et abandonne ainsi la pauvre *Fanny*.

10. Il s'agit de la ville de Grasse, située à côté de Cannes-Antibes. Une trentaine d'usines y traitent les fleurs récoltées dans la région, les plus grands parfumeurs du monde y possèdent leurs laboratoires.

▲ *Cirque de Navacelles (Hérault).*

24

1. Vrai, c'est la commune de Saint-Véran

2. Vrai

3. Faux, on parlait alors la langue d'oc dans le Sud, et la langue d'oïl dans le Nord, « oui » se disait donc « oc »

4. Faux, les mollusques sont par exemple, des seiches, huîtres ou calamars, les calanques sont de petites criques, de petites baies rocheuses situées à proximité de Marseille et de Cassis.

5. Faux, elle a été fondée par les Grecs au VIe siècle avant notre ère

6. Vrai, le Pont du Gard a été construit au Ier siècle avant Jésus-Christ pour amener l'eau à la ville de Nîmes distante de 40 kilomètres

7. Faux, c'est la moins peuplée de France avec seulement 256 000 habitants. Mais beaucoup de Corses, sont fonctionnaires de l'État (policiers, militaires) qui, pour la plupart, ont été contraints de s'exiler sur le continent. On retiendra *Colomba* ou *Matéo Falcone* comme des nouvelles révélatrices de l'âme corse.

8. À partir du 15 août jusqu'à la fin février, les Corses de toutes générations chassent avec vénération le sanglier, animal sauvage par excellence dans une nature difficile d'accès qui rend la chasse encore plus passionnante.

9. Faux, c'était au Moyen Âge une hérésie religieuse visant à une pureté absolue des mœurs. Après une résistance acharnée qui se poursuivit à Montségur, elle débuta par le massacre des habitants de Béziers (1209), l'Histoire retiendra une phrase inoubliable de Simon de Montfort disant « massacrez-les tous et Dieu reconnaîtra les siens ».

Mais le rhume s'appelle aussi un « catarrhe », avec une orthographe différente.

▲ *L'abbaye cistercienne de Sénanque, XIIe-XIIIe siècles (Vaucluse).*

▲ *Le Castillet à Perpignan.*

10. La vieille cité appelée la « ville rouge » est bâtie en briques, elle a été un centre actif de l'hérésie cathare aux XIIe et XIIIe siècles. En dehors de sa cathédrale gothique, on peut y admirer les œuvres du peintre Toulouse-Lautrec.

25

La Corse est appelée l'île de Beauté, les touristes, venus du continent par bateau ou par avion, découvrent avec émerveillement au fond de son golfe Ajaccio ou Bastia. Ils apprécient ses paysages sauvages, le maquis odorant, et ses plages de sable fin. Prosper Mérimée, au XIXe siècle, a fait connaître la Corse au travers de sa nouvelle *Colomba*. De nos jours, la Corse, qui revendique son autonomie politique, a pour principale ressource le tourisme.

26

Nîmes/arènes et Maison Carrée (temple), aqueduc (Pont-du-Gard) – Arles/arènes, théâtre – Orange/arc de triomphe, théâtre – Saint-Rémy-de-Provence/monument funéraire.

27

Sur le continent, d'abord en Italie, mais aussi en Espagne, en Angleterre, en Suisse, en Allemagne… sur le continent africain dans tous les pays du pourtour méditerranéen

28

réponses libres

Le Sud-Ouest

29

1. Les Pyrénées forment une barrière naturelle entre l'Espagne et la France d'est en ouest, des Pyrénées orientales aux Pyrénées atlantiques. De grands axes routiers (autoroute et tunnels) facilitent la traversée et rapprochent les deux capitales régionales que sont Toulouse et Barcelone en Catalogne (Espagne), ainsi que Bordeaux du Pays Basque.
2. Saint-Jacques-de-Compostelle. La marque toujours visible sur les chemins est la coquille Saint-Jacques.
3. Lourdes. La petite bergère de 14 ans,

▲ *Le pont de Pierre à Bordeaux.*

▲ *Lavernose Lacasse, pigeonnier.*

Bernadette Soubirous, à qui la Sainte-Vierge apparut, fut canonisée en 1933. Les malades qui y viennent en pélerinage espèrent un miracle. Ils espèrent la guérison ou tout simplement ils sont heureux de se retrouver dans ce haut lieu et de prier ensemble.

4. Gavarnie est un cirque naturel entouré de hautes falaises du haut desquelles se précipitent de nombreuses cascades. – Le Tourmalet est le plus haut col des Pyrénées (2 114 m) que les coureurs cyclistes du Tour de France empruntent pour des étapes de légende. – Roncevaux est un col (1 057 m) que franchit l'arrière-garde de l'armée de Charlemagne avant de se faire massacrer par les Vascons (Basques), Roland, le neveu de l'empereur tenta en vain de le prévenir en faisant sonner jusqu'à son dernier souffle son cor. – Andorre, petite principauté (465 km²) est rattachée historiquement à la fois à la France (le Président de la République en est coprince) et à l'Espagne (Évêque d'Urgel). – La Ville Rose est le nom donné à Toulouse chantée par Claude Nougaro,

abrite la fameuse place du Capitole dont beaucoup de bâtiments, comme l'hôtel de ville ou le théâtre, sont construits en briques.

5. Les potocks, petits chevaux très robustes, des aigles et quelques rares ours et loups venus d'Espagne, espèces protégées qui défraient la chronique locale lorsque d'aventure ils s'attaquent aux troupeaux de moutons.

6. Aujourd'hui dans les stations thermales comme Luchon, Cauterets, on soigne les rhumatismes, l'excès de poids, les bronchites, les maladies respiratoires, etc. Mais on les fréquente aussi pour se détendre et se remettre en forme ou suivre une cure anti-tabac.

7. Pendant les mois où il fait chaud (mai, juin, juillet, août) les huîtres supportent mal le transport.

8. Parce que ce sont des champignons très rares et très recherchés (la production de la truffe sauvage représente chaque année moins de 100 kg) et qui par conséquent coûtent très cher (plus de 5 000 F le kilo).

9. Un béret basque qui n'est plus guère porté que par les agriculteurs du Sud-Ouest ou les « artistes » de la pelote basque.

10. Les pratiquants du surf peuvent trouver des vagues qui leur conviennent sur la côte des Landes ou sur la côte basque (Biarritz).

30

1/B – 2/A – 3/C mais se dit aussi du museau du chien – 4/A – 5/A et B. La montagne fut à la mode chez les écrivains à l'époque préromantique et romantique (1780-1840).

31

1. C'est un Médoc, région située au nord-ouest de Bordeaux – **2.** Il est trop tôt pour le dire ! En principe, c'est une bonne année – **3.** Château Prieuré-Lichine, c'est une société anonyme. – **4.** 12 ; 5 ° – **5.** Vin de propriétaire, mis en bouteille au domaine, ce qui garantit la qualité. – **6.** Les grands vins de Bordeaux et du Médoc sont classés en cinq catégories, de premier cru au cinquième cru. Les autres vins, non classés, sont appelés « crus bourgeois ». – **7.** C'est un numéro de contrôle, les crus classés ne peuvent produire qu'une quantité limitée de bouteilles.

32

Réponses libres

Les Pays de l'Ouest

33

1. Le Mont-Saint-Michel qui date du XIIe siècle, entouré de remparts, est considéré comme le plus impressionnant des sites historiques de l'Ouest de la France, les bâtiments situés au sommet, appelés « la merveille », sont surmontés d'une flèche de 150 mètres de haut
2. Le Mont-Saint-Michel, d'une hauteur de 78 mètres, est une île lorsque la mer est pleine et une presqu'île lorsqu'elle est basse, le site inscrit au patrimoine mondial est menacé d'ensablement.
3. Il est situé sur les côtes nord entre Granville et Saint-Malo, face aux îles anglo-normandes, à « cheval » entre la Normandie et la Bretagne Nord, dans la baie qui porte son nom et sur laquelle on élève des moutons.
4. La baie est très vaste (30 km de large) et tout à fait plate ; certains marcheurs inconscients s'aventurent à pied dans la baie. Lors de la marée haute on dit que la mer monte à la vitesse d'un cheval au galop.

34

1. La tempête, l'ouragan, le gros temps, l'océan démonté, déchaîné.
2. La ville de Saint-Malo est également appelée la « Cité Corsaire ». Duguay-Trouin et Surcouf, célèbres corsaires disposaient de bateaux fortement armés.
3. Les Bleus (partisans de la République) et les Blancs (royalistes et insurgés vendéens) à l'époque de la Révolution (1792-1800). Cette guerre intérieure causa la mort de près de 500 000 personnes.
4. Le débarquement des troupes américaines sur cette plage (Omaha Beach est un nom de code donné par l'état-major américain), le 6 juin 1944, qui fit 3 000 morts.

▲ *Maison à colombage, Pays d'Auge.*

Corrigé des exercices

▲ *Entrée du port de La Rochelle.*

5. On y pêche principalement la sole, le turbot, les coquilles Saint-Jacques, le homard, la langouste. Les principaux ports de pêche bretons sont : Saint-Malo pour la pêche à la morue (bancs de Terre-Neuve), Erquy (coquille), Concarneau (sardines).

6. la tomate, l'orange, l'aubergine (cultivées dans le Midi)

35

1. Un menhir (grosse pierre en forme conique) avec laquelle il assomme les soldats romains. Les aventures humoristiques d'Astérix le Gaulois sont racontées dans une célèbre bande dessinée.

2. Les dolmens – tables de pierre – servaient probablement au culte des morts.

3. Il s'agit des alignements de Carnac situés à proximité de Quiberon dans le Morbihan.

4. Paul Gauguin, autour duquel s'était formée « l'École de Pont-Aven » et Monet qui peignit la cathédrale de Rouen à toutes les saisons et à toutes les heures du jour.

5. Lorient était autrefois appelé L'Orient, c'était le plus important port de commerce et de constructions navales au XVIIe siècle, qui armait vers l'orient, à destination des Indes (Compagnie des Indes orientales)

6. Deauville est connu du « Tout-Paris » (le bord de mer est distant de 200 km de Paris), célèbre pour ses « Planches », un lieu de rencontres sur un plancher en bois posé à même le sable. Dans cette célèbre station s'élèvent de nombreux palaces, restaurants de luxe et un casino).

7. Le pays de Caux est un plateau crayeux de Normandie. Les impressionnantes falaises d'Etretat (120 mètres) sont remarquables par leur forme (aiguilles) et les arches naturelles que sculptent le vent et les éléments.

8. Le Vendée-Globe est une course de bateaux en solitaire organisée tous les quatre ans autour de la terre et sans escale.

9. Le Finistère, (littéralement, là où finit la terre) est la région située la plus à l'ouest du continent européen.

10. Une spécialité culinaire : les fameuses rillettes du Mans (charcuterie de porc) et le circuit automobile sur lequel chaque année, au mois de juin, se dispute la course d'endurance des 24 heures du Mans.

36

Poissons : sole normande (sauce au beurre blanc) – turbot braisé (cuit au bois) – thon grillé (préparé en steak) –

▲ *Château de Carrouges.*

cabillaud au fenouil (plante au goût anisé) – saumon en papillote (cuit au four à l'étouffée dans un papier hermétique)

Crustacés : homard à l'armoricaine (sauce au beurre et crabe) – coquilles Saint-Jacques (à la nage avec de la crème fraîche) – moules marinières (vin blanc) – crabe farci – langouste thermidor (cuite au court-bouillon avec ajout de fine Champagne)

▲ *Paysage de Polynésie.*

37

1. Faux : c'est une galette composée de lait, de farine de seigle ou de froment et d'œufs
2. Vrai : l'Armor est le pays de la mer.
3. Faux : c'est une eau-de-vie de pommes
4. Vrai, il s'agit de l'irrésistible guerrier Gaulois, héros d'une bande dessinée.
5. Faux : c'est un pèlerinage où l'on vient demander pardon pour ses fautes.
6. Vrai
7. Vrai

38

Lorraine – Anglais – Voix surnaturelles – Chinon – Orléans – Paris – Reims – Bourguignons (alliés des Anglais, ils disputaient le trône de France à Charles VII) – Hérétique – Brûlée vive.

France d'Outre-mer

39

1. Kourou est en Guyane, au nord du Brésil ; la Guyane était aussi connue, pour son sinistre bagne de Cayenne décrit dans un récit célèbre, *Papillon*. La fusée européenne Ariane est lancée depuis la base de Kourou.
2. En Polynésie française, dans le Pacifique sud (Tahiti), les vahinés ont été immortalisées par le peintre Paul Gauguin.
3. En Antarctique (Terre Adélie ou Kerguelen par exemple)
4. En Nouvelle-Calédonie, dans le Pacifique
5. Les îles de la Martinique et de la Guadeloupe font partie des Antilles françaises.
6. Saint-Pierre et Miquelon à proximité du Canada
7. En Nouvelle-Calédonie
8. Aux Antilles françaises
9. L'île de la Réunion.

40

L'Espagne (îles Canaries), le Portugal (les Açores, îles du Cap-vert), le Royaume-Uni (îles Malouines ou Falkland, Tristan da Cunha, Anguilla…), la Norvège (le Spitzberg), le Danemark (le Groenland, les îles Feroé), les Pays-Bas (Antilles néerlandaises)…

41

Réponses libres

▲ *Flore tropicale.*

Exercices de rappel

42

1. 1 % – **2.** quatrième – **3.** Catholique, musulmane, protestante, juive, bouddhiste – **4.** Paris, Lyon, Marseille – **5.** Un quart – **6.** 2 700 kilomètres environ – **7.** Près de 36 000 communes – **8.** La France est le premier exportateur en Europe d'électricité, de produits agricoles, de vins d'appellation contrôlée, d'eaux minérales. – **9.** L'Allemagne.

43

1. • colonne 1. L'eau douce stagnante (qui ne bouge pas ou peu) : un étang, une mare, un lac, un marais, un marécage – L'eau douce qui court : un torrent, un fleuve, un ruisseau, une rivière

• colonne 2. La mer et les côtes mari-

times : une falaise, un îlot, un promontoire, un delta, un golfe, un phare, une calanque, une baie, une presqu'île, une rade, l'archipel.

2. La rivière se jette dans une autre rivière ou un fleuve, le fleuve se jette dans la mer.

44

1. Le Mont-Blanc, sommet – **2.** Le glacier – **3.** Une pente – **4.** Un plateau – **5.** Une chaîne de montagnes – **6.** Les Jeux olympiques.

45

1/A – 2/G – 3/B – 4/C – 5/F – 6/E – 7/D

46

1/C, F et I. – 2/B – 3/J – 4/A et D – 5/G – 6/H – 7/I – 8/E

47

1. Entre le Ier siècle avant J.-C. et le IIIe siècle après J.-C.
2. Théâtres, amphithéâtres, aqueducs, cirques, arcs de triomphe, arènes, thermes, temples, forums, etc.

▲ *En Nouvelle-Calédonie.*

3. Églises romanes : le Puy, Vézelay, Conques, Toulouse, etc. églises gothiques : Notre-Dame de Paris, Chartres, Bourges, Strasbourg, Reims, etc.

4. 1/D - 2/B - 3/C - 4/A

5. Le roi Louis XIV

6. Le soleil

7. Du XIXe siècle (1806-1836)

8. Pour la coupe du monde de football en 1998.

48

Culte catholique : église, monastère, cathédrale, chapelle, abbaye
– culte protestant : temple – culte juif : synagogue – culte musulman : mosquée – culte bouddhiste : temple.

49

1. Fête où l'on danse, généralement sur une place ou dans la rue, comme le 14 juillet pour la Fête nationale.

2. Présentation publique d'œuvres d'art.

3. Course de taureaux se déroulant dans les arènes, à Nîmes ou Arles par exemple.

4. Fête annuelle avec animations populaires et courses de taureaux.

5. Festival : grande manifestation artistique (musique, danse, cinéma comme à Cannes, théâtre).

6. Foire : grand marché public qui se tient une fois par mois ou par an. Il y a aussi la foire-exposition ou Salon (salon de l'automobile, salon du livre, etc.)

50

1. En Bretagne – **2.** En Lorraine, dans l'est de la France – **3.** Dans le Dauphiné (Grenoble) – **4.** Dans le Sud-Ouest (Toulouse) – **5.** Dans les Alpes –

6. Dans le Centre, en Bourgogne – **7.** Au bord de la Méditerranée dans le Midi (Marseille) – **8.** Au Nord-Est, en Lorraine – **9.** En Alsace – **10.** Au Pays Basque – **11.** À Lyon – **12.** Dans le Sud-Ouest, en Dordogne.

51

1. Toulouse – **2.** Marseille – **3.** Lyon – **4.** Paris.

52

1. la Touraine – **2.** Le Berry – **3.** La Normandie – **4.** la Provence – **5.** Les Landes.

53

Cézanne : E – Degas : G. – Dufy : C. – Matisse : F. – Monet : B. – Van Gogh : A – Courbet : H. – Picasso : I.– Gauguin : D.

▲ *Pêche à la truite dans le Cantal.*

Glossaire

Nous n'avons pas donné de traduction pour les mots trop particuliers (andouillette, bocage…), ou qui se reconnaissent immédiatement dans une langue étrangère (autonomiste, delta…).

ACADÉMIES : sociétés de savants, de gens de lettres, d'artistes. Leur création, en France, remonte à Richelieu, au moment où se créait un pouvoir central fort.

AGGLOMÉRATION : ensemble constitué par une ville et ses banlieues.

AUTONOMISTE : partisan de l'autonomie accordée à des institutions en partie indépendantes du pouvoir central. La revendication autonomiste est forte en Corse, mais existe aussi au Pays Basque et en Bretagne.

▲ *Gastronomie en Bourbonnais (pâté aux pommes de terre).*

BAGUETTE : pain allongé de 300 à 400 grammes, qui a remplacé au XXᵉ siècle la «boule» traditionnelle, les Français mangeant de moins en moins de pain.

BALNÉAIRE : qui se rapporte aux bains de mer. [*Seebad – seaside resort – balneario*]

BANLIEUE : étymologiquement, territoire d'une lieue (3 km) autour d'une ville, et sur lequel s'exerçait le pouvoir de la cité. Moderne : communes limitrophes d'une ville. [*Vorort – suburbs – arrabal – periferia*]

BASSIN : territoire arrosé par un fleuve et ses affluents («bassin de la Loire») ou ensemble géographique ayant une unité («bassin parisien»). Groupement de gisements de charbon ou de minerais (bassin de Lorraine). [*Becken – basin – cuenca – bacino*]

BÉRET : coiffure de laine, ronde et plate, usuelle au Pays Basque et dans le sud-ouest, devenue, avec la «baguette» l'emblème du Français moyen vu par les étrangers. [*Baskenmütze – boina – basco*]

BOCAGE : forme de paysage composé de prés séparés par des haies ou des levées de terre plantées d'arbres (bocage normand).

Glossaire

BOUTER : vieux français «pousser», «refouler». Mot utilisé par Jeanne d'Arc, qui voulait «bouter» les Anglais hors de France pendant la guerre de Cent Ans.

BRANDADE : plat méditerranéen à base de morue, de pommes de terre et de crème.

CAUSSE : plateau calcaire. Les Causses forment une région située au sud du Massif central, célèbre par son fromage «bleu» au lait de brebis (Roquefort). [*meseta*]

CEINT : entouré de (de «ceindre». Cf. ceinture).

▲ *Poulet de Bresse.*

CIRQUE : ensemble de falaises en demi-cercle. [*circo*]

CLIMATS : la France compte quatre climats principaux, avec des variantes : atlantique à l'ouest, continental au centre et à l'est, méditerranéen et alpestre.

COLLECTIVITÉS TERRITORIALES : divisions administratives ayant des pouvoirs propres : communes (36772), départements (100), régions (26). Les communes peuvent se regrouper en «communautés de communes»; les départements sont subdivisés en arrondissements et cantons.

COLOMBAGE : charpente de bois, souvent colorée en rouge, apparente sur le mur d'une maison. On trouve des maisons à colombage au pays basque, en Normandie, en Alsace. [*Fachwerkbau – half timbering – vigueria – case a graticcio*]

COLONNADE : rangée de colonnes (colonnade du Louvre). [*Säulengang – colonade – columnata – colonnato*]

CRÈCHE : représentation de l'étable où est né le Christ à Bethleem, que l'on installe dans l'église au moment de Noël. [*Krippe – christmas crib – nacimiento de cristo – presepio*]

DÉCENTRALISATION : politique qui accorde de larges pouvoirs aux collectivités territoriales, en particulier en matière d'aménagement du territoire. La «déconcentration» consiste simplement à donner une certaine autonomie aux agents du pouvoir central et aux organismes dont ils dépendent.

DÉCOUPURE(S) : forme très sinueuse d'une côte rocheuse. [*buchtige Küste – indentations – entrante(s) de la costa – frastaglio*]

▲ *Saint-Nectaire (Puy-de-Dôme).*

DÉLOCALISER : installer ailleurs qu'à Paris une administration ou un organisme d'État (l'ENA a été partiellement délocalisée à Strasbourg). Le terme vaut aussi pour l'industrie.

DELTA : portion de terrain en forme de triangle (comme la lettre grecque Delta majuscule), à l'embouchure d'un fleuve (delta du Rhône).

DONJON : tour principale, la mieux défendue, d'un château fort. [*Wachtturn – keep – torre del homenaje – mastio*]

EMBOUCHURE : endroit ou un fleuve se jette dans la mer, une rivière dans un lac…

EMBOUTEILLAGE : ralentissement ou arrêt de la circulation routière (on dit aussi «bouchon»). [*Stau – traffic jam – embotellamaniento – ingorgo*]

ENCHÈRES (VENTE AUX) : forme de vente publique, dans laquelle chacun peut offrir un prix supérieur au prix de départ ou à ceux que proposent les autres acheteurs. Ce type de vente se fait, par exemple, pour le poisson ou les fleurs, dans les marchés de «gros» : ce sont les «criées». [*Auktion – auction sale – subasto – vendita all'asta*]

ESTUAIRE : embouchure très élargie d'un fleuve (l'estuaire de la Garonne est la Gironde). [*Mündung – estuary – estuarlo – estuario*]

FRANCILIEN : habitant de l'Ile de France.

GALÈRE : les galères étaient des bâtiments de guerre où ramaient les condamnés (galériens). La galère, galérer, c'est donc mener une vie très difficile.

GARRIGUE : terrain pierreux, calcaire et aride, avec une végétation rare, dans les régions méditerranéennes. Voir aussi «maquis».

GAVE : torrent ou rivière des Pyrénées.

GIRONDIN : partisan d'une politique d'autonomie provinciale, ou au moins d'une large décentralisation régionale. Pendant la Révolution, entre 1791 et 1793, ceux qui voulaient faire de la France un état fédéral s'étaient regroupés autour des députés de la Gironde (Bordeaux), contre les «Jacobins», qui firent guillotiner la plupart d'entre eux.

GISEMENT : terrain riche en minerai ou en charbon (v. bassin). [*Lager – (coal) field – yacimiento– giacimento*]

Glossaire

GRASSEYANT : désigne l'accent traditionnel des Parisiens, avec une prononciation gutturale du «r». Cet accent a en partie disparu, au profit de la prononciation particulière de la finale des mots en «e», prononcée «in».

GUILLOTINE : machine inventée en 1791 par le docteur Guillotin, pour trancher «avec humanité» la tête des condamnés à mort. La guillotine fonctionna pour la dernière fois en 1977, quatre ans avant l'abolition de la peine de mort.

HAUT DE GAMME : de qualité supérieure. [*Luxusprodukt – up market – de la classe mejor – di alta qualita*]

HÉRÉSIE : doctrine non conforme à l'orthodoxie, règle de l'Église catholique.

▲ *Fourme de Cantal.*

Les principales hérésies furent dues, en France, aux Vaudois (XIIᵉ siècle), aux Cathares (XIIIᵉ siècle), aux protestants calvinistes (XVIᵉ siècle) et aux Jansénistes (XVIIᵉ siècle). [*Ketzerei – heresy – herejia – eresia*]

HEURE DE POINTE : moment de la journée où la foule, ou la clientèle est la plus dense. Dans un restaurant, c'est «le coup de feu».

HOUILLE BLANCHE : nom donné en 1895, à Grenoble, à l'énergie hydroélectrique.

JACOBIN : partisan d'un pouvoir central fort, du nom de la société révolutionnaire le club des Jacobins, opposée aux opinions fédéralistes des Girondins.

LIMITROPHE : voisin, avec des limites ou des frontières communes.

MAGINOT (LIGNE) : ligne fortifiée de défense construite après la première guerre mondiale, du nom de son ingénieur. En face, l'Allemagne construisit la «ligne Siegfried». Ni l'une ni l'autre ne furent d'un grand secours, comme le mur de l'Atlantique, construit par les Allemands entre 1941 et 1944, pour empêcher le débarquement des Alliés.

MAQUIS : terrain couvert d'une végétation méditerranéenne (arbustes et buissons), propre à la Corse, où l'on se réfugiait pour échapper aux gendarmes; d'où le nom donné aux groupes de résistance, lors de la Seconde Guerre mondiale.

Glossaire

MÉTROPOLE : grande ville, capitale. Territoire principal de l'État par rapport aux territoires extérieurs (DOM-TOM).

NEF : navire, en ancien français. De là le nom donné à la partie centrale des cathédrales, qui font penser à un navire renversé. [*Schiff – nave – navata*]

NÉVÉ : amas de neige dure, qui ne fond pas en été. [*Firn(schnee) – nevero – nevato*]

OSTENSION : action de montrer les reliques lors d'une fête religieuse.

PARIGOT : nom donné familièrement aux Parisiens. On disait aussi «Parigot à gros bec», à cause de l'accent ou de l'orgueil des habitants de la capitale.

PATRIMOINE MONDIAL : liste de lieux ou de monuments célèbres à sauvegarder (plus de 500), dressée par l'Unesco depuis 1972.

POUMON VERT : espace naturel (parc, bois…) dans ou autour d'une grande ville.

RELIQUES : restes (ossements, objets) d'un saint, conservés dans une église (v. «Ostension»).

SALINE : établissement ou entreprise de production de sel, par évaporation (marais salant) ou pompage d'eau salée (Alsace, Jura). [*Salzwerk – salto works – salina*]

TAUROMACHIQUE : qui se rapporte aux courses de taureaux (corridas).

TECHNOPOLE : ensemble urbain autour d'industries et de centres de recherche de pointe.

TERROIR : région rurale, fortement individualisée par son caractère ou ses productions (terroir bourguignon, savoyard…).

TGV : trains à grande vitesse, qui peuvent rouler entre 270 et 300 km à l'heure.

THERMAL : qui se rapporte aux sources d'eaux chaudes ou minérales naturelles (le thermalisme auvergnat).

TRANSHUMANCE : déplacement (en camion, actuellement) des troupeaux vers la haute montagne au début de l'été.

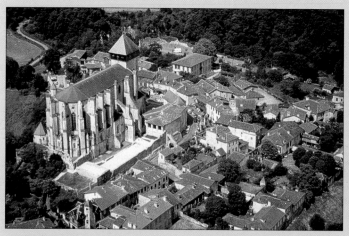

▲ *St-Bertrand-de-Comminges*

Glossaire

TROUBADOUR : poète lyrique de langue d'oc, aux XIIe et XIIIe siècles, qui chantait l'amour idéal («courtois»). [*Minnesänger – minstrel – trovador – trovatore*]

TROUVÈRE : poète («jongleur») du Nord de la France, de langue d'oïl, au Moyen Âge.

VACANCIER : personne en vacances; l'estivant est le «vacancier» de l'été, l'hivernant celui de l'hiver. [*Urlauber – holiday maker – veraneante – villegiante*]

VERMEIL : d'un beau rouge clair; la Côte Vermeille doit son nom à la couleur de ses rochers.

VITRAIL : panneau décoratif de morceaux de verre de couleur. Le vitrail, utilisé dans les fenêtres des cathédrales, permettait d'évoquer des épisodes de la Bible ou de la vie des saints. [*Kirchenfenster – stained glass window – vidriera – vetrata*]

Carcassonne (Aude). ▶

Table des matières

Table des matières

Crédits photographiques

p. 13 : OT Versailles © ; p. 17 : C.D.T. Essonne © ; p. 18 : J.-L. Rabin © ; p. 20 : haut, C.D.T. Oise/D. Grouard © ; p. 28 : C.D.T. Oise/D. Cry © ; p. 31 : C.D.T. Cher/P. Régnier © ; p. 32 : haut, C.D.T. Cher/P. Régnier © – bas, OT de Chartres © ; p. 33 : Argenton/Creuse, C.D.T. Indre – Vue d'Orléans, Ville d'Orléans ; p. 34 : Dijon, OT Dijon © – Paysage de la Creuse, C.D.T. Creuse/R. Dutheuil © ; p.35 : haut, C.D.T. Creuse/C. Taboury © – bas, C.D.T. Puy-de-Dôme/D. Massacrier © ; p. 36 : haut, C.D.T. Cantal – bas, C.D.T. Cher/P. Régnier © ; p. 37 : haut, C.D.T. Cantal ; p. 38 : haut, OT Chartres © ; p. 39 : C.D.T. Indre © ; p. 40 : C.D.T. Indre/A. Neviche © ; p. 41 : C.D.T. Allier/F. Lechenet © ; p. 43 : C.D.T. Oise/J. Lasseron © ; p. 44 : C.D.T. Moselle/J.-C. Kanny © ; p. 45 : haut, C.D.T Aisne/C. Taamourte © – bas, OT Arras © ; p. 46 : haut, OT Amiens/B. Mousson – bas, Musée des beaux-arts de Nancy/Mangin © ; p. 47 : haut, C.D.T. Moselle/J.-C. Kanny © – bas, CRT Alsace/Naegelen © ; p. 48 : bas, Maison de la France/Sierpinski © ; p. 49 : haut, OT Arras © ; p. 51 : haut, C.D.T. Moselle/J.-C. Kanny © – bas, CRT Alsace/Hamm © ; p. 53 : haut, OT Chamrousse © – bas, CRT Franche-Comté © ; p. 54 : haut et bas, CRT Franche-Comté © ; p. 55 : haut et bas, CRT Franche-Comté © ; p. 56 : bas, C.D.T Isère/F. Pattou © ; p. 57 : haut, OT Annecy © – bas, C.D.T. Isère/C. Sarramon © ; p. 58 : haut, Ville de Bourg-en-Bresse © – bas : C.D.T Rhône/J.-L. Guerrier © ; p. 59 : haut et bas, C.D.T Rhône/J.-L. Guerrier © ; p. 60 : haut et bas, C.D.T Rhône/J.-L. Guerrier © ; p. 61 : CRT Franche-Comté © ; p. 62 : Ville de Bourg-en-Bresse © ; p. 63 : C.D.T Isère © ; p. 64 : haut, OT Chamrousse © – bas, OT Annecy © ; p. 66 : OT Nice © ; p. 67 : haut, C.D.T. Vaucluse/J.-L. Seille © ; p. 68 : haut, OT Briançon/L. Galloppe © – bas, C.D.T. Alpes-de-Haute-Provence © ; p. 69 : milieu, C.D.T. Vaucluse/J.-L. Seille © – droite, OT Nice © ; p. 70 : haut, J. Richomme © – bas, OT Bandol © ; p. 71 : haut, OT Nîmes © – bas, OT Perpignan © ; p. 72 : haut, milieu et bas, OT Porto-Vecchio © ; p. 73 : haut, C.D.T. Alpes-de-Haute-Provence © – bas, C.D.T. Hérault/L. Crassous © ; p. 74 : haut, C.D.T.L. Alpes-de-Haute-Provence/Nuts © – bas, C.D.T. Vaucluse/J.-L. Seille © ; p. 75 : haut, OT Nîmes © – Château Comtal, OT Carcassonne © ; p. 76 : haut, C.D.T. Vaucluse/J.-L. Seille © – bas, C.D.T. Alpes-de-Haute-Provence © ; p. 77 : OT Nîmes © ; p. 78 : C.D.T. Vaucluse/J.-L. Seille © ; p. 80 : haut, J.-P. Plantey © – bas, C.D.T. Haute-Garonne © ; p. 81 : haut, C.D.T. Lot © ; p. 82 : haut, OT Lourdes © ; p. 83 : haut, OT Lourdes © – bas, J.-P. Plantey © ; p. 84 : haut, CDTL Gers © – bas, C.D.T. Lot © ; p. 85 : haut, OT Bordeaux/T. Saint-Jean © – milieu, C.D.T. Lot © – bas, CDTL Gers © ; p. 86 : haut, OT Bordeaux/T. Saint-Jean © ; p. 87 : bas, C.D.T. Lot © ; p. 88 : Mairie de Foix/P. Courteville © ; p. 89 : CDTL Gers © ; p. 90 : C.D.T. Haute-Garonne/F. Canard © ; p. 92 : C.D.T. Seine-Maritime/Stéfani © ; p. 93 : haut, C.D.T. Calvados/P. Gay © – bas, C.D.T. Eure © ; p. 94 : haut, C.D.T. Calvados/P. Gay © – bas, C.D.T. Seine-Maritime © ; p. 95 : haut, région Poitou-Charentes/F. Roch © – bas, CRT Bretagne © ; p. 96 : haut et bas, région Poitou-Charentes/F. Roch © – bas, OT La Rochelle © ; p. 97 : haut, OT La Rochelle © – bas, C.D.T. Seine Maritime/Stéfani © ; p. 98 : C.D.T. Eure © ; p. 99 : haut, OT Fougères © – milieu, OT La Rochelle © ; p. 100 : C.D.T. Orne © ; p. 101 : région Poitou-Charentes/F. Roch © ; p. 110 : C.D.T. Creuse/R. Dutheuil © ; p. 112 : haut, C.D.T.

Achevé d'imprimer en Avril 2002
sur les presses de

HORIZON
G R O U P E

Parc d'activités de la plaine de Jouques
200, avenue de Coulin
13420 Gémenos

N° d'imprimeur : 0204-036